TALMIDIM52

CB034573

ED RENÉ KIVITZ

TALMIDIM52

O PASSO A PASSO DE JESUS EM
MEDITAÇÕES SEMANAIS

Copyright © 2016 por Ed René Kivitz
Publicado por Editora Mundo Cristão

Os textos das referências bíblicas foram extraídos da *Nova Versão Internacional* (NVI), da Biblica Inc., salvo indicação específica.
Nas meditações, o autor valeu-se de paráfrases particulares em grande parte das referências bíblicas.

Os QR Codes deste livro estão vinculados a endereços eletrônicos no YouTube e são de responsabilidade da Igreja Batista de Água Branca (IBAB).

Todos os direitos reservados e protegidos pela Lei 9.610, de 19/02/1998.

É expressamente proibida a reprodução total ou parcial deste livro, por quaisquer meios (eletrônicos, mecânicos, fotográficos, gravação e outros), sem prévia autorização, por escrito, da editora.

CIP-Brasil. Catalogação na Publicação
Sindicato Nacional dos Editores de Livros, RJ

K68t

    Kivitz, Ed René
     Talmidim52: O passo a passo de Jeus em meditações semanais / Ed René Kivitz. — 1. ed. — São Paulo: Mundo Cristão, 2016.
    192 p. ; 23 cm.

    ISBN 978-85-433-0191-4

    1. Cristianismo 2. Vida cristã. I. Título.

16-35715   CDD: 248.4
                               CDU: 248.4

Categoria: Espiritualidade

Publicado no Brasil com todos os direitos reservados por:
Editora Mundo Cristão
Rua Antônio Carlos Tacconi, 79, São Paulo, sp, Brasil, cep 04810-020
Telefone: (11) 2127-4147
www.mundocristao.com.br

1a edição: outubro de 2016

INTRODUÇÃO

O texto que você tem em mãos foi baseado na série semanal de vídeos gravada em 2014. O conteúdo dos vídeos e o do texto impresso são distintos e complementares. A transposição da linguagem oral para a literária exigiu ajustes que permitiram inclusive acréscimos e explicações mais complexas e detalhadas dos temas abordados. Seguindo o mesmo propósito do projeto Talmidim, desenvolvido em 2011 e 2012, Talmidim52 apresenta uma visão panorâmica de Jesus, sua vida, mensagem e obra. Os 52 capítulos abordam de maneira simples e resumida os principais fatos históricos a respeito de Jesus, desde seu nascimento, passando por batismo, a tentação no deserto e seu célebre Sermão do Monte, além de comentar suas obras, como os milagres e os feitos maravilhosos. Mas tratam principalmente dos ensinamentos de Jesus, de seus aforismos, suas geniais parábolas e dos debates e controvérsias com os líderes religiosos do judaísmo da época. Finalmente, relatam os fatos centrais de toda a história humana conforme conhecida no mundo ocidental: a semana da paixão, o julgamento, a morte e a ressurreição de Jesus.

Agradeço a todos que participaram do projeto Talmidim, desde seu início, em 2011. A gratidão é a consciência de que ninguém vai a qualquer lugar significativo sozinho. A gratidão é o reconhecimento de que tudo o que sustenta a existência e a ela dá luz, cor e sabor recebemos de Deus e das incontáveis mãos generosas de todos que compartilham conosco o dom maravilhoso da vida.

Separo duas pessoas que simbolizam a dedicação e a generosidade de todos os colaboradores. Thiago Crucciti, por seu encorajamento e ousadia. Era 27 de dezembro de 2010 quando decidimos postar um vídeo devocional diário. Saímos do nada para o projeto Talmidim em apenas dois dias. Sem sua criatividade, sua força de trabalho e seu entusiasmo inabalável, isso não teria acontecido. Agradeço também ao meu amigo e irmão Ariovaldo Ramos. As horas dedicadas à discussão do roteiro e do argumento teológico desse Talmidim52 estão registradas entre as mais graciosas de uma amizade espiritual. Como disse Levinas a respeito de Franz Rosenzweig em sua obra: "esse autor é presente demais para ser citado".

Talmidim52 é mais uma caminhada no passo a passo de Jesus. Você pode usar este texto como roteiro para suas reflexões pessoais, em pequenos grupos de estudos bíblicos e também para o discipulado com pessoas que desejam conhecer o evangelho de Jesus Cristo e aprofundar-se em sua compreensão.

Seguir a Jesus é pisar corajosamente no mais fascinante território de peregrinação espiritual possível a todo e a cada ser humano. O reino de Deus, cuja utopia e esperança se estendem para além deste mundo, foi inaugurado por

Jesus na história e dá seus sinais todo dia, nas circunstâncias mais inusitadas e nas situações mais triviais da vida cotidiana.

Andar nos passos de Jesus é uma fascinante aventura, pois seus caminhos, suas lógicas, seus valores e suas propostas contrariam absolutamente o senso comum e viram de cabeça para baixo o mundo como o conhecemos. Não é sem razão que o teólogo tcheco Thomás Halík chama o reino de Deus de "reino do paradoxo". Jesus vive uma lógica completamente diferente da que vive este mundo, diz Halík: "se quiseres ser o maior, sê o servo de todos; quem perde a sua vida, ganhá-la-á; aqueles que têm receberão, ao passo que daqueles que não têm até o que têm será tirado; o operário contratado à última hora receberá o mesmo salário que aquele que 'carregou o peso do dia e do calor'; o amo a quem o 'administrador astuto' roubou louva-o por ter agido com prudência; o pai mostra mais carinho pelo filho pródigo do que pelo filho que sempre foi fiel e obediente; o Filho do Altíssimo nasce num estábulo e é executado numa cruz, entre malfeitores; os mortos voltam à vida, os cegos veem e os que dizem 'nós vemos' ficam cegos".

É para esse mundo e para essa jornada que Jesus convida seus talmidim, seus discípulos seguidores. É para essa aventura que convido você a caminhar comigo nas próximas páginas. Meu desejo e minha oração são que você encontre as pegadas de Jesus nestas linhas e entrelinhas. Ao encontrá-las, tenha coragem de seguir seus passos. Ao caminhar com ele, experimente o fascínio de quem está diante do Deus encarnado e caia de joelhos. E, de joelhos, seja transformado em alguém igual a ele, o primeiro dos nossos muitos irmãos.

Talmidim 52

01 Talmidim 52

> *Depois de três dias o encontraram no templo, sentado entre os mestres, ouvindo-os e fazendo-lhes perguntas. Todos os que o ouviam ficavam maravilhados com o seu entendimento e com as suas respostas.*
> Lucas 2.46-47

O menino Jesus tinha apenas 12 anos de idade quando empreendeu seu primeiro embate com os rabinos e doutores da Lei. Isso não era tão incomum na cultura daqueles dias. Os meninos em Israel iniciavam seus estudos com 6 anos. No primeiro estágio, o *Beit Sefer*, decoravam a Torá, os cinco primeiros livros da Bíblia: Gênesis, Êxodo, Levítico, Números e Deuteronômio. Aos 10 anos, quando iniciavam o segundo estágio, o *Beit Talmud*, já haviam decorado toda a lei de Moisés. Passavam então a estudar e decorar os livros históricos, poéticos, de sabedoria e dos profetas de Israel. Aos 14 anos, aqueles meninos já haviam decorado o que hoje chamamos de Antigo Testamento, a Bíblia Hebraica.

Ao atingir essa idade, apenas os mais notáveis eram selecionados pelos rabinos para dar continuidade aos estudos, passando, ainda adolescentes, a integrar uma espécie de elite intelectual. Aos poucos eram designados para algum rabino a fim de que, a seus pés, dedicassem a vida ao estudo da Torá. Esses meninos especiais eram chamados Talmidim, palavra que o Novo Testamento traduz por discípulos. No singular, talmid.

Encontrar Jesus aos 12 anos de idade debatendo com os mestres de Israel não é, portanto, algo inusitado, uma vez que, como vimos, nessa idade a maioria dos meninos em Israel já havia decorado a Torá e avançava nos estudos dos textos sagrados da tradição judaica. O inusitado residia no fato de um menino ser capaz de maravilhar os rabinos com suas respostas. Decorar a Lei é uma coisa, compreender a Lei é outra. Citar a Lei é uma coisa, interpretar a Lei é outra completamente diferente.

Jesus muito provavelmente foi um desses meninos Talmidim. Mas há quem diga que os rabinos não toleraram sua presença por muito tempo, e recomendaram que ele seguisse o caminho da maioria absoluta dos meninos de sua época, ou seja, voltasse para casa a fim de aprender o ofício da família. Em sua vida adulta Jesus foi chamado de "filho do carpinteiro" e provavelmente dedicava-se à carpintaria, junto com o pai.

A relação "mestre e discípulo", "rabino e talmid", e a presença dos meninos talmidim eram parte essencial da cultura e da tradição religiosa e espiritual de Israel. Isso talvez explique por que, ainda que não tenha sido oficialmente reconhecido como tal, Jesus era chamado pelo povo de *rabbi*, rabino, mestre. E seus primeiros seguidores ficaram conhecidos na história como discípulos.

O conceito de talmidim suscita um ditado muito especial daquela época. Os rabinos recomendavam aos seus meninos: "deixem-se cobrir pela poeira dos pés do seu rabino", numa alusão ao andar tão próximos do seu rabino que, ao final do dia, estariam cobertos pela poeira que os pés do rabino levantavam enquanto ele caminhava. Essa recomendação significa, portanto: siga de perto, o mais próximo possível, observe atentamente os mínimos detalhes, ouça cada palavra, preste atenção em cada gesto. Algo como "coloque uma lupa sobre o seu rabino e não perca nenhum detalhe desse espetáculo".

Os meninos talmidim tinham mais uma razão para andar tão próximos de seus rabinos. O objetivo deles não era apenas saber o que seus rabinos sabiam, mas se tornarem o que seus rabinos eram. Eles não queriam apenas o conhecimento que seus mestres possuíam, queriam ser como seus mestres. Mais do que saber o que o rabino sabe, importa ser o tipo de homem que o rabino é.

Foi exatamente isso o que Timóteo fez com o apóstolo Paulo, seu mestre e mentor: "você tem seguido de perto o meu ensino, a minha conduta, o meu propósito, a minha fé, a minha paciência, o meu amor, a minha perseverança, as perseguições e os sofrimentos que enfrentei..." (2Tm 3.10-11).

A relação rabino-talmid é o modelo para a peregrinação espiritual proposta por Jesus no evangelho. Aquele que segue a Jesus também deve se deixar cobrir pela poeira dos pés dele. O Evangelho não é uma doutrina. É uma pessoa. O discipulado de Jesus implica mais do que acreditar em algumas verdades. No discipulado, seguir é imitar. Imitar para se tornar igual ao mestre. Seguir a Jesus para se tornar igual a Jesus.

Assim compreenderam os primeiros discípulos de Jesus, depois chamados apóstolos. O apóstolo Paulo, por exemplo, ensina que o propósito da encarnação de Deus foi fazer de Jesus "o primogênito entre muitos irmãos" (Rm 8.29). Diz ainda que Deus age em todas as coisas para o bem daqueles que o amam, dos que foram chamados de acordo com o seu propósito (8.28), deixando-nos bem claro que o propósito é nossa transformação segundo a imagem de Jesus, é fazer que o ser humano se assemelhe a Jesus: "aqueles que de antemão conheceu, também os predestinou para serem conformes à imagem de seu Filho, a fim de que ele seja o primogênito entre muitos irmãos" (8.29).

Deus está agindo o tempo todo, em todas as circunstâncias de nossa vida, para nos fazer semelhantes a Jesus. A nota de rodapé da Bíblia Nova Versão Internacional (NVI) sugere uma tradução esclarecedora para esse texto: "sabemos que em todas as coisas Deus coopera juntamente com aqueles que o amam, para trazer à existência o que é bom".

Paulo escreve também aos cristãos da cidade de Corinto dizendo que todos nós somos "transformados com glória cada vez maior" (2Co 3.18) e que o Espírito Santo vai nos moldando segundo a imagem de Jesus. Imagino que somos como o barro mole a que o Espírito Santo vai dando forma. Ele olha para nós, nos compara com Jesus e mexe mais um pouco em nós. Depois, olha para Jesus novamente, e segue ajustando o que somos ao que Jesus é. Isso é um processo contínuo, com glória cada vez maior, até que um dia nosso rosto brilhe como brilhou a face de Jesus no monte da transfiguração.

O apóstolo Paulo compara seu sacerdócio com o período de gestação: "estou sofrendo dores de parto por sua causa, até que Cristo seja formado em vocês", diz aos cristãos da região da Galácia (Gl 4.19). Isso significa que os seguidores de Paulo, em última instância, são seguidores de Jesus, pois não estão sendo transformados à imagem de Paulo, mas à imagem de Jesus.

Além das dores de parto, o apóstolo Paulo fala das dores e dos sofrimentos de Cristo Jesus. Seu esforço é tão visceral que ele chega a dizer que completa em seu corpo "o que resta das aflições de Cristo, em favor do seu corpo, que é a igreja". E mais uma vez justifica seu sacerdócio dizendo que tudo o que faz é com o fim de apresentar "todo homem perfeito em Cristo" (Cl 1.24,28). A palavra grega traduzida por "perfeito" significa "sem que nada lhe falte, completo, pleno", indicando a plenitude de Cristo formada naquele que segue a Jesus.

O mesmo conceito de plenitude está presente na descrição da dinâmica comunitária cristã sob o sacerdócio dos apóstolos, evangelistas, profetas e pastores-mestres. Paulo ensina que essas pessoas têm a responsabilidade de aperfeiçoar os santos para que se relacionem servindo uns aos outros "até que todos alcancemos a unidade da fé e do conhecimento do Filho de Deus, e cheguemos à maturidade, atingindo a medida da plenitude de Cristo" (Ef 4.13).

O trabalho dos guias espirituais implica a emancipação de seus talmidim, para que não sejam mais "como crianças, levados de um lado para outro pelas ondas, nem jogados para cá e para lá por todo vento de doutrina e pela astúcia e esperteza de homens que induzem ao erro" (Ef 4.14). Somente pessoas maduras e adultas podem cooperar entre si na peregrinação rumo à semelhança de Jesus. A comunidade cristã é o ambiente onde todos seguem a verdade (Jesus Cristo) em amor. A comunidade é o corpo de Cristo, e "todo o corpo, ajustado e unido pelo auxílio de todas as juntas, cresce e edifica-se a si mesmo em amor, na medida em que cada parte realiza a sua função" (Ef 4.16).

A peregrinação espiritual cristã não é de um lugar para o outro. Da terra para o céu, ou do inferno para o céu. Na verdade a peregrinação espiritual cristã implica mudar de um estado de ser para outro estado de ser. Do ser humano à imagem de Adão (Gn 5.1-3) para o ser humano à imagem de Jesus Cristo.

É verdade que estamos indo para o céu. Mas não apenas para o céu. Estamos indo para Cristo. Nosso destino final não é o céu. Nosso destino é Cristo.

Filho

02 Talmidim52

> *No princípio era o Verbo, e o Verbo estava com Deus, e o Verbo*
> *era Deus. Ele estava no princípio com Deus. Todas as coisas foram*
> *feitas por ele, e sem ele nada do que foi feito se fez.*
> João 1.1-3, RC

Os três principais biógrafos de Jesus o apresentam de maneiras diferentes. O evangelista João apresenta Jesus como "filho de Deus". Jesus é o verbo que se fez carne (Jo 1.14). O verbo que estava com Deus, o verbo que era Deus, o verbo que participa da criação de todas as coisas. Mateus o apresenta como filho de Abraão. E Lucas, como filho de Adão. O Novo Testamento apresenta Jesus como filho de Adão, filho de Abraão e filho de Deus. Jesus é ao mesmo tempo filho da humanidade, filho do povo hebreu e também filho de Deus. Jesus resume o ideal de Deus para o homem. É consenso da tradição cristã que Jesus revela não apenas como Deus é, mas também como o homem deve ser.

O debate a respeito da condição humana quer saber se o ser humano é bom, mau, neutro ou ambíguo. O ser humano é bom e a sociedade o estraga? Ou é mau já desde o ventre materno? Ou seria neutro: nem bom, nem mau? Ou ambíguo: ao mesmo tempo bom e mau? Qual dessas hipóteses é a mais plausível?

Opto pela afirmação de que o ser humano foi criado bom, mas sua condição tornou-se má. O ser humano é apresentado na Bíblia Sagrada como escravo do pecado (Sl 14; Rm 1.18-32; 3.10-18; 7.14-25; Ef 4.17-19). O pecado não é a natureza humana, pois o homem foi criado à imagem e semelhança de Deus (Gn 1.26-27). O pecado é a condição humana.

Em sua condição de pecador, o ser humano é incapaz de resistir ao mal. Isso não significa que ele seja uma fábrica de pecados todo o tempo, que tudo o que ele consegue fazer é o mal ou que seja incapaz de fazer o bem. Mas, como disse Jean Mesnard: "o homem, abandonado às suas próprias forças, inclina-se invencivelmente para o mal".[1] Isso quer dizer que o ser humano é insuficiente, isto é, depende da graça de Deus para resistir ao mal. Esse fato se demonstra pelo menos de duas maneiras.

O ser humano dificilmente sacrifica a si mesmo em favor de outro. Quando precisa escolher entre sacrificar-se em benefício de outro, dificilmente sacrifica o seu próprio eu-ego. O padrão de atuação humano é o egoísmo, é fazer a opção por si mesmo quase o tempo todo. E, quando precisa escolher entre o próprio eu e Deus, escolhe a si mesmo.

A "insuficiência humana", conceito de Blaise Pascal, também se demonstra pelo fato de que não basta ao ser humano saber o que deve fazer para conseguir fazê-lo. O comportamento destrutivo e autodestrutivo é característica humana. Para o ser humano, em sua condição de pecador, "querer não é poder".

Ao tomar consciência de sua condição, o apóstolo Paulo grita de desespero como quem súplica por socorro: "Pois o que faço não é o bem que desejo, mas o mal que não quero fazer, esse eu continuo fazendo. [...] Miserável homem que eu sou! Quem me libertará do corpo sujeito a esta morte?" (Rm 7.19,24). Ele fala não apenas a respeito de si mesmo, mas se refere à condição de toda a raça humana. Quando afirma que é por si mesmo incapaz de deixar de fazer o mal, e insuficiente para fazer o bem, está falando por você e por mim.

O ser humano carece do sopro divino. É do sopro divino que o ser humano deriva sua vida. Sem o sopro divino, o ser humano fica à mercê de sua condição, que pende para o mal.

Essa maneira de apresentar o ser humano na Bíblia Sagrada tem a ver com o mito da queda. Mito não no sentido de mentira, falso ou irreal. Mito no sentido de linguagem. Adão e Eva são nossos pais ancestrais. Por isso a Bíblia apresenta Jesus também como filho de Adão.

No paraíso, a leste do Éden, Adão e Eva estão diante da "árvore do conhecimento do bem e do mal" (Gn 2.17). Mas não estão apenas escolhendo entre o bem e o mal. Existe outra árvore, a árvore da vida. Adão e Eva estão diante de duas árvores. A árvore do conhecimento do bem e do mal, e a árvore da vida. Não estão fazendo uma escolha entre bem e mal. As duas árvores colocam a raça humana entre a vida e a morte.

Comer da árvore do conhecimento do bem e do mal é reivindicar para si a prerrogativa de dizer o que é bem e o que é mal. Implica tomar a existência nas próprias mãos. É uma reivindicação de autonomia. Ao comer do fruto da árvore do conhecimento do bem e do mal, o ser humano afirma ao seu Criador: "eu consigo viver mesmo longe de ti, mesmo sem derivar minha existência de ti, eu vivo por mim mesmo, a partir de agora vou sustentar minha própria existência". Mas o fato é que ninguém pode sustentar a própria vida. Não somos autoexistentes, não somos autossuficientes. Ninguém pode pretender autonomia em relação a Deus, pois fora de Deus nada existe ou subsiste.

Adão e Eva são nossos pais ancestrais, pois nos geraram à sua imagem e semelhança (Gn 5.1-3). Deus criou o homem à sua imagem e semelhança e o colocou no jardim. O ser humano era insuficiente, mas não era escravo do mal. Vivia do fôlego da vida, soprado por Deus. Mas, ao tomar em suas próprias mãos a prerrogativa de sua existência, torna-se escravo do mal, pois, insuficiente, não tem em si mesmo condição de vencer o mal e fazer o bem.

A condição de insuficiência implica a morte, e por essa razão o apóstolo Paulo grita: "Miserável homem que eu sou! Quem me libertará do corpo sujeito a esta morte?". Em outras palavras, "Quem vai me livrar dessa minha condição de morte, dessa minha escravidão ao mal? Minha pretensão de autonomia acabou se voltando contra mim mesmo e me matando, e me fazendo cativo do mal que habita em mim. Não consigo resistir a esse mal, não consigo superar, não consigo vencer o mal".

Quando a Bíblia Sagrada diz que Jesus é filho de Adão, ensina que Jesus se identificou plenamente com a humanidade. Jesus sofreu nossas dores, suportou as mesmas privações de um corpo mortal, foi assolado pelas mesmas tentações e atacado pelo mal e o Maligno. Jesus foi humano. Tão humano quanto qualquer um de nós.

Quando a Bíblia Sagrada diz que Jesus é filho de Abraão, diz que como ser humano não caiu do céu, pronto, amadurecido, adulto em plenitude de maturidade. Jesus nasceu do ventre de uma mulher judia. Cresceu em uma tradição étnica e religiosa. Cresceu no berço de uma cultura. Jesus tem por trás de si uma história, um povo, uma nação. Jesus é filho de Abraão.

Mas a Bíblia também diz que ele é filho de Deus. Por isso Jesus resume em si a resposta de Deus para a condição humana, o que explica a jornada existencial e a peregrinação espiritual proposta por Jesus no evangelho. Comparado com o Cristo ressurreto, Adão é só um bonequinho de pano. É o que todos nós somos, bonequinhos de pano. Em Jesus Cristo estamos ganhando vida de verdade. Estamos nos tornando seres humanos em plenitude.

Um dia também nós poderemos afirmar, plenamente, como Jesus: "Eu sou filho da raça humana. Eu sou filho do meu povo. E eu sou filho de Deus". Nesse dia, a imagem de Deus estará formada em nós em plenitude, assim como esteve explícita na pessoa de Jesus Cristo.

Quando formos semelhantes ao Cristo ressurreto, teremos superado a condição de insuficiência que compartilhamos com Adão e estaremos libertos da escravidão ao mal. Teremos também superado a finitude e a morte. Teremos deixado para trás a árvore do conhecimento do bem e do mal, e estaremos desfrutando plenamente do fruto da árvore da vida: a vida eterna.

Eis o evangelho, a boa notícia de que com Jesus Cristo venceremos a morte: "Deus nos deu a vida eterna, e essa vida está em seu Filho. Quem tem o Filho, tem a vida" (1Jo 5.11-12). Jesus fez essa promessa aos seus talmidim: "Eu sou a ressurreição e a vida. Aquele que crê em mim, ainda que morra, viverá" (Jo 11.25).

MESSIAS

Hoje, na cidade de Davi, lhes nasceu o Salvador, que é Cristo, o Senhor.
Lucas 2.11

Esse anúncio feito pelos anjos aos pastores que guardavam seus rebanhos nos campos de Belém foi uma sentença de morte para o menino Jesus.

Salvador, Cristo e Senhor eram títulos do imperador romano. Ao atribuir esses títulos a Jesus de Nazaré, o anjo condena Jesus à morte. Jesus nasceu marcado para morrer.

O imperador Júlio César foi assassinado no ano 44 a.C. Seu filho adotivo, Otávio, assumiu o império e promoveu Júlio César à categoria de Deus, ou, na verdade, deus. Diz a história que Otávio Augusto teria visto uma estrela cadente e a interpretado dizendo: "Lá vai Júlio César encontrar o seu lugar entre os deuses". Júlio César foi, então, divinizado.

Depois de vencer Marco Antonio e Cleópatra, Otávio passa a ser chamado Augusto, Otávio Augusto. Com sua vitória conquista também para si todos esses títulos e prerrogativas que fazem do imperador romano um deus. O imperador romano é considerado "escolhido pelos deuses", *Christus*. O imperador romano é também chamado de salvador, *Soter*. Quando conquistava os povos bárbaros, Roma acreditava levar sua luz e sua salvação. O imperador romano se tornava o senhor, *Kyrius*, soberano dos povos. Por essa razão não se admitia em hipótese alguma que entre os povos dominados e colonizados por Roma houvesse alguém que reivindicasse para si ou alguém a quem fossem atribuídos os títulos de cristo, senhor ou salvador.

O anúncio do primeiro Natal tem uma conotação política explícita. As palavras do anjo sugerem a confrontação entre o império de César e o reino do Cristo que acaba de nascer. O menino Jesus é o verdadeiro Cristo, Salvador e Senhor. Jesus é o verdadeiro dono do mundo.

Esse confronto político já havia sido anunciado pelos profetas de Israel. Nabucodonosor, rei da Babilônia, sonhou com uma grande estátua de cabeça de ouro, peito de prata, pernas de bronze e pés de barro. Daniel, o profeta hebreu, interpretou o sonho como profecia de uma sucessão de reinos. O primeiro reino, a própria Babilônia, com a cabeça de ouro. Depois, outro reino, o peito de prata, a Pérsia. Em seguida, as pernas de bronze, representando a Grécia. E, finalmente, os pés de barro, fazendo referência a Roma. Nos dias do Império Romano, profetizou Daniel, uma pedra lançada dos céus, lançada sem auxílio de mãos, destruiria a estátua e estabeleceria "um reino que durará para sempre" (Dn 2.44-45). A profecia se cumpre com a chegada do reino de Deus.

O reino de Deus não apena destrói e supera todos os reinos que o antecedem, mas também, e principalmente, inaugura uma nova ordem para a humanidade e em todo o universo. "O meu Reino não é deste mundo", disse Jesus (Jo 18.36). O reino de Deus ganha presença na história com o nascimento de Jesus de Nazaré, o menino nascido em Belém da Judeia, a cidade de Davi. Essa é a razão por que o anjo anuncia Jesus como Salvador, Cristo e Senhor.

O reino acima de todos os reinos havia chegado. Por trás do anúncio de que o legítimo rei dos judeus tinha nascido, isto é, o de que o Messias esperado pelos descendentes de Abraão havia chegado, estava a profecia de Daniel: Deus lançara sua pedra dos céus, e todos os reinos do mundo seriam esmagados pelo reino que não tem fim. Roma, que já era barro, seria reduzida a pó.

A razão por que o reino de Jesus Cristo prevalece sobre todos os reinos, ou seja, é um reino eterno, conforme profetizou Daniel, é que todos os reinos do mundo são construídos segundo a ordem de Adão. Quem é Adão? É o ser humano que pretende ser Deus. Um ego absoluto que escolhe a si mesmo, inclusive em detrimento de Deus, o criador dos céus e da terra.

Adão é quem diz que "o homem é a medida de todas as coisas". Adão é o ser humano chamando para si e tomando em suas mãos a prerrogativa de construir reinos à sua imagem e semelhança.

Adão não apenas multiplica filhos à sua imagem e semelhança mas também constrói reinos e impérios à sua imagem e semelhança. Reinos e impérios que se impõem pela violência, pela força bruta, pelo domínio tirânico daquele que detém nas mãos maior poder concentrado. Por isso os reinos segundo a ordem de Adão são reinos abusadores e vitimadores, promotores da escravidão. Reinos que se pretendem absolutos em oposição ao reino de Deus.

Mas Jesus de Nazaré traz o reino de Deus. E o reino de Deus é de outra ordem, e seu rei governa com outras categorias. Jesus Cristo é o Senhor que não escraviza, mas liberta. Jesus Cristo é o todo-poderoso que não tiraniza, mas exerce seu poder para amar. Deus é amor. Jesus é aquele que, embora tendo à disposição todo o poder, não faz tudo o que pode, apenas o que deve. Jesus faz tudo o que o amor pode. Por isso é que, em vez de matar, escolhe morrer. Morrer por amor.

Jesus é o Deus que nasce criança, o Onipotente que se faz menino. Isso gera outra categoria de reino, de Rei. Outro tipo de sociedade. Outro mundo. Por isso é que Jesus resgata não apenas nossa humanidade ao nos trazer de volta a possibilidade de sermos humanos como os humanos devem ser, ser o que Adão deveria ter sido: ser humano à imagem e semelhança de Deus. Jesus também resgata a maneira como escrevemos a história, nossa própria história, além da história da humanidade e do mundo. Jesus nos oferece outro modo de desenvolver a vida comum: em comunidade.

O reino de Deus é um reino de paz, porque Jesus é o Príncipe da Paz (cf. Is 9.6). Jesus é rei de outro reino, com outra convocação, não apenas a convocação para ser gente segundo a vontade de Deus, mas também para outro jeito de ser sociedade: "Pai nosso, que estás nos céus! [...] Venha o teu Reino; seja feita a tua vontade, assim na terra como no céu" (Mt 6.9-10).

Jesus Cristo é a superação da humanidade, a qual pretende ocupar o lugar de Deus. Adão escolheu ser um ego absoluto, não rendido a Deus, o Criador. Jesus Cristo, o filho de Deus, não pretende autonomia, não quer ocupar o lugar de Deus. Jesus Cristo é o ser humano que vive em submissão a Deus e abençoado por ele. Vive para fazer a vontade do Pai que está nos céus.

O reino de César, o imperador romano, se impõe pela força bruta. O reino de Jesus Cristo prevalece pelo poder do amor. Cativa pelo tanto que ama. O teólogo irlandês C. S. Lewis disse que o mundo é um território ocupado pelo inimigo, e nesse território o rei legítimo e verdadeiro desembarcou disfarçado e convoca todos para uma grande campanha de sabotagem.[2]

Os reinos estabelecidos pelos "césares" são construídos à imagem de Adão, feitos por egos absolutos que pretendem ser deuses. Ocupam a terra como os inimigos ocupam um território: exploração predatória, usurpação de riquezas, apropriação indevida de valores. Nos "impérios de César" tudo é mercadoria, incluindo corpos e almas humanas.

Mas o Rei legítimo, o verdadeiro Senhor, o único Salvador chegou. Chegou disfarçado num pequenino menino, em Belém da Judeia, e nos convida a todos para buscarmos "em primeiro lugar o Reino de Deus e a sua justiça" (Mt 6.33). Jesus nos chama a viver não mais como filhos de Adão, mas como filhos de Deus. Jesus nos convida ao reino onde todos somos irmãos. E Deus é Pai de todos.

Sim

Então Jesus veio da Galileia ao Jordão para ser batizado por João. João, porém, tentou impedi-lo, dizendo: "Eu preciso ser batizado por ti, e tu vens a mim?". Respondeu Jesus: "Deixe assim por enquanto; convém que assim façamos, para cumprir toda a justiça". E João concordou. Assim que Jesus foi batizado, saiu da água. Naquele momento o céu se abriu, e ele viu o Espírito de Deus descendo como pomba e pousando sobre ele. Então uma voz dos céus disse: "Este é o meu Filho amado, de quem me agrado".

MATEUS 3.13-16

Jesus foi batizado por João Batista. O batismo de João Batista era chamado de "batismo de arrependimento". João Batista foi aquele que preparou o caminho para a chegada do Messias. Ele percorria as regiões da Palestina, convocando as pessoas a se prepararem para a chegada do Messias. Sua mensagem era simples: "Arrependam-se! Façam caminhos planos para o Messias. O Messias está chegando".

Ao ver Jesus pela primeira vez, João Batista aponta para ele e diz: "Vejam! É o Cordeiro de Deus, que tira o pecado do mundo!" (Jo 1.29). Por essa razão, quando Jesus chega para ser batizado, João Batista inicialmente resiste. "Não entendo!", diz a Jesus. "Você é o Cordeiro de Deus que tira o pecado do mundo e vem se submeter ao batismo de arrependimento?".

Era como se João Batista dissesse: "Você não precisa se arrepender, você é o próprio Messias que acabou de chegar. Você não precisa desse batismo. Na verdade eu é que preciso ser batizado por você".

João Batista também anunciava que o Messias, quando chegasse, batizaria com o Espírito Santo e com fogo. Mais uma razão para que ele ficasse confuso: "Olha, não faz sentido eu batizar você, Jesus. O meu batismo é para arrependimento, e eu quero o batismo com o Espírito, que você pode me dar. Você pode me colocar em comunhão com o Espírito de Deus".

Mas Jesus responde dizendo que é necessário "cumprir toda a justiça" (Mt 3.15). O que isso significa? Ao se submeter ao batismo de arrependimento, Jesus está se identificando absoluta e completamente com Adão. Jesus está cumprindo a justiça. Em outras palavras, Jesus está olhando para Deus e dizendo *sim*. Adão fez diferente. Olhou para Deus e disse *não*.

Em Jesus a humanidade está dizendo *sim* para Deus. Em Adão a humanidade diz *não* para Deus. Este é o significado de "cumprir toda a justiça". No momento em que Jesus cumpre toda a justiça, submetendo-se ao batismo de arrependimento em nome de toda a humanidade, o céu se abre, e sobre Jesus repousa na forma corpórea de uma pomba o próprio Espírito Santo de Deus. E

Deus mesmo, em alta voz, se pronuncia, dizendo: "Este é o meu Filho amado, de quem me agrado" (Mt 3.17).

Caso fosse possível escolher sublinhar apenas uma palavra nessa frase, eu escolheria a palavra "este". Toda a ênfase da declaração de Deus está nesta expressão: "este", Jesus de Nazaré é o Filho amado. É como se Deus estivesse dizendo: "Agora sim, meu Filho está presente na história. Agora sim, tenho prazer em um filho entre os homens".

Imagine que ao longo de toda a história os seres espirituais, mesmo os homens de coração mais sensível, ficaram a se perguntar pelo Filho de Deus. Onde estaria esse ser criado à imagem e semelhança de Deus?

Gilberto Gil disse, não sei se ironicamente ou em tom elogioso, que "a raça humana é uma semana do trabalho de Deus". Já que a poesia é também uma propriedade de quem a ouve, faço minha opção. Ao contemplar a raça humana e o mundo que construímos, tenho vontade de perguntar: Adão é tudo quanto Deus consegue fazer? É o ápice do seu trabalho? O máximo do trabalho de Deus é Adão?

No batismo de Jesus, Deus responde um peremptório *não*.

O máximo do trabalho de Deus é Jesus, o Cristo.

O ápice da humanidade é Jesus de Nazaré.

Naquele momento em que Deus declara que Jesus de Nazaré é seu filho amado, imagino todos os anjos dos céus explodindo em alegria e todos os demônios do inferno se mordendo de raiva: "Agora sim. Finalmente conseguimos enxergar um ser humano como Deus o planejou, como Deus o sonhou. Agora sim, conseguimos enxergar a imagem de Deus refletida na face de um ser humano. Em Jesus de Nazaré".

É por isso que a nossa peregrinação espiritual como discípulos de Jesus, como talmidim de Jesus, não é necessariamente, ou apenas, de um lugar para o outro. Da terra para o céu. Mas de um estado de ser a outro. De Adão a Jesus Cristo.

Nossa identificação com Adão, o ser humano que disse *não* para Deus, foi suplantada pela nossa identificação com Jesus Cristo, o ser humano que disse *sim* para Deus.

A maneira como o apóstolo Paulo resume nossa relação com Adão e com Jesus Cristo é esclarecedora:

> Vocês conhecem a história de Adão e de como ele nos lançou no dilema em que estamos — o primeiro pecado, depois a morte; e ninguém ficou isento do pecado ou da morte. Aquele pecado afetou os relacionamentos com Deus em tudo e com todo o mundo, mas a extensão das consequências negativas não ficou clara até que Deus a explicasse em detalhes a Moisés. Até os que não pecaram como Adão, que desobedeceu a um mandamento específico de Deus, tiveram de experimentar

o fim da vida, a separação de Deus. Mas Adão, que nos pôs nessa situação, também aponta para aquele que nos livrará dela.

Todavia, o resgate não é proporcional ao pecado que traz morte. Se o pecado de um homem deixa multidões de pessoas no profundo abismo da separação de Deus, imaginem a eficácia do dom de Deus derramado por meio de um homem, Jesus Cristo! Não há comparação entre o pecado que traz morte e esse generoso dom gerador de vida. A sentença pronunciada sobre aquele pecado foi a morte, mas sobre os muitos pecados que se seguiram veio a sentença de vida. Se a morte obteve supremacia pelo erro de um homem, imaginem o que pode fazer a extraordinária recuperação de vida que agarramos com ambas as mãos, esse dom de vida extravagante, essa restauração total, providenciados pelo homem Jesus Cristo!

Aqui está um resumo de tudo: assim como uma única pessoa errou e nos deixou todo esse problemão com o pecado e a morte, também uma única pessoa fez o que era certo e nos livrou de tudo isso. Mais que apenas nos livrar do problema, ele nos trouxe para a vida! Um homem disse não a Deus e afundou muita gente no erro; outro homem disse sim a Deus e consertou tudo o que estava errado.

Tudo que a lei contra o pecado conseguiu fazer foi produzir mais gente que desrespeitasse a lei. Mas o pecado não teve nem tem chance de competir contra o perdão poderoso que chamamos "graça". Na disputa entre o pecado e a graça, a graça vence com facilidade. Tudo que o pecado pode fazer é nos ameaçar com a morte. Já a graça, uma vez que Deus está consertando as coisas por meio do Messias, nos convida à vida — uma vida que continua para sempre, que jamais terá fim.

Romanos 5.12-21, A Mensagem

Assim como o pecado de um só homem, Adão, trouxe condenação e morte para toda a raça humana, pelo ato de justiça de um só homem, pelo *sim* de um só homem, Jesus Cristo, a todos os homens se estende a salvação.

O apóstolo Paulo explica também esse mistério do batismo:

> Ou vocês não sabem que todos nós, que fomos batizados em Cristo Jesus, fomos batizados em sua morte? Portanto, fomos sepultados com ele na morte por meio do batismo, a fim de que, assim como Cristo foi ressuscitado dos mortos mediante a glória do Pai, também nós vivamos uma vida nova. Se dessa forma fomos unidos a ele na semelhança da sua morte, certamente o seremos também na semelhança da sua ressurreição.

Romanos 6.3-5

Não somos apenas a imagem de Adão. Carregamos também a imagem do Cristo. Diz o apóstolo Paulo que Jesus Cristo é ao mesmo tempo "o último Adão" e "o segundo homem" (1Co 15.45,47). Quando Jesus cumpre toda a justiça, morre uma raça ou uma condição da raça humana. E, quando Jesus ressuscita, nasce outra condição de raça humana. Esta é a interpretação mais correta da afirmação do apóstolo Paulo, que diz: "se alguém está em Cristo, é nova criação" (2Co 5.17), isto é, aquele que está em Cristo faz parte da nova criação, integra a nova humanidade. Aquele que está identificado com Jesus, o Cristo, também ouve da parte de Deus: "Este é o meu Filho amado, de quem me agrado".

Andar nos passos de Jesus é viver segundo a vontade de Deus.

Viver é morrer para si mesmo e dizer *sim* para Deus.

Tentação

05 Talmidim 52

Então Jesus foi levado pelo Espírito ao deserto, para ser tentado pelo Diabo. Depois de jejuar quarenta dias e quarenta noites, teve fome. O tentador aproximou-se dele e disse: "Se és o Filho de Deus, manda que estas pedras se transformem em pães". Jesus respondeu: "Está escrito: 'Nem só de pão viverá o homem, mas de toda palavra que procede da boca de Deus'". Então o Diabo o levou à cidade santa, colocou-o na parte mais alta do templo e lhe disse: "Se és o Filho de Deus, joga-te daqui para baixo. Pois está escrito: 'Ele dará ordens a seus anjos a seu respeito, e com as mãos eles o segurarão, para que você não tropece em alguma pedra'". Jesus lhe respondeu: "Também está escrito: 'Não ponha à prova o Senhor, o seu Deus'". Depois, o Diabo o levou a um monte muito alto e mostrou-lhe todos os reinos do mundo e o seu esplendor. E lhe disse: "Tudo isto te darei, se te prostrares e me adorares". Jesus lhe disse: "Retire-se, Satanás! Pois está escrito: 'Adore o Senhor, o seu Deus, e só a ele preste culto'". Então o Diabo o deixou, e anjos vieram e o serviram.

Mateus 4.1-11

Jesus é filho de Deus, é filho de Abraão e filho de Adão. Jesus é filho de Deus, é filho do povo hebreu e filho da humanidade. Sendo filho de Adão, Jesus é não apenas uma pessoa, mas também um tipo de pessoa.

Jesus é não apenas um ser humano específico, mas um tipo de ser humano. Ele é o que Adão deveria ter sido. Jesus é o filho amado de Deus. Essa é a declaração que Deus tornou pública quando Jesus foi batizado. Era como se Deus estivesse dizendo: "Aquele primeiro homem, Adão, ainda não foi tudo o que eu imaginei a respeito de um ser humano. Esse aqui, Jesus, esse sim, esse é. Esse é o meu filho amado".

É, portanto, na qualidade de filho amado de Deus, o homem segundo a imagem e semelhança de Deus, que Jesus é levado pelo Espírito Santo ao deserto para ser tentado pela serpente. A mesma serpente que tentou Adão e Eva no jardim do Éden.

Mas, diferentemente de Adão, Jesus está sendo tentado no deserto. Por quê? Porque o primeiro Adão, tentado no paraíso, ao ser derrotado pela serpente, foi expulso do jardim. Foi expulso do jardim. Foi para uma terra árida, para uma terra seca. Foi para o deserto. O último Adão está no deserto.

O primeiro homem foi tentado no jardim. O segundo homem está sendo tentado no deserto. Isso significa que Jesus assume não apenas a humanidade em Adão, mas assume também todo o ônus da rebelião e da rebeldia de Adão.

No paraíso, no jardim, Adão, o primeiro homem, está diante de duas árvores: a árvore do conhecimento do bem e do mal, e a árvore da vida. A árvore da vida representa a atitude de rendição, submissão e vinculação da criatura com o seu Criador. O filho que come da árvore da vida é o filho que diz *sim* ao pai. O filho que come da árvore do conhecimento do bem e do mal expressa sua rebeldia, expressa sua rebelião, pretende a sua autonomia em relação ao pai e ao Criador. O filho que come da árvore do conhecimento do bem e do mal é o filho que diz *não* ao pai.

A atitude de Jesus, de se submeter ao batismo de João Batista, o batismo do arrependimento, é a do filho que come da árvore da vida. Antes de ir ao deserto para ser tentado pela serpente, Jesus se rendeu a Deus, se submeteu ao Pai, colocando-se sob sua bênção e sua graça.

Passados 40 dias de jejum, a serpente chega para tentar Jesus. Mas ele poderia ter-lhe dito: "Você chegou atrasada. Eu já comi da árvore da vida. Agora já me rendi ao meu Pai".

No livro de Gênesis é dito que o fruto da árvore do conhecimento do bem e do mal "parecia agradável ao paladar, era atraente aos olhos e, além disso, desejável para dela se obter discernimento" (Gn 3.6). Despertava o desejo, saciava a fome e sugeria ao ser humano que ele podia ser igual a Deus. Claro que a sugestão era uma ilusão. Discernir o bem do mal significava na verdade tomar para si a prerrogativa de definir o que é bom e o que é mau, o que é certo e o que é errado. Comer o fruto era reivindicar autonomia em relação a Deus.

O apóstolo João fala também da cobiça dos olhos, da cobiça da carne e a ostentação dos bens (1Jo 2.16), as mesmas três expressões da tentação de Adão, que implicava a rebelião contra Deus: o desejo dos olhos, o apetite do corpo e da soberba da vida, isto é, o orgulho e a vaidade de ser igual a Deus.

A serpente segue o mesmo modelo na tentação de Jesus no deserto. Primeiro apela às necessidades do corpo, fazendo uso da vulnerabilidade de Jesus quando tem fome. Mas também o coloca diante de uma vitrine, enche seus olhos mostrando a glória de todos os reinos do mundo. Esse é o apelo aos desejos. Além da necessidade do corpo, os desejos da alma: beleza, esplendor, riqueza, a exuberância dos reinos do mundo. Primeiro tenta a carne (corpo), depois tenta seduzir a alma, penetrando pelos olhos.

O tentador leva Jesus ao pináculo, o lugar mais alto do templo, e sugere que ele salte nos braços dos anjos. Afirma que Deus daria ordens aos anjos para que sustentassem Jesus nos céus. A sugestão é que Jesus se torne espetacular e mostre que todo o universo gira ao seu redor. É assim que a serpente tenta despertar vaidade, orgulho, prepotência e arrogância no coração de Jesus.

Jesus enfrenta três áreas de tentações: os apetites do corpo, os desejos da alma e a ambição espiritual. Transformar pedras em pão para satisfazer as necessidades do corpo. Ter acesso fácil à glória dos reinos do mundo para satisfazer os desejos da alma. E ser reconhecido como o centro do universo para satisfazer a ambição do espírito.

A serpente questiona a identidade como Filho de Deus: como pode o Filho de Deus ter as necessidades do corpo satisfeitas? Mas Jesus responde que "Nem só de pão viverá o homem, mas de toda palavra que procede da boca de Deus" (Mt 4.4). Que palavra é essa? A palavra que ele ouviu pronunciada dos céus: "Este é o meu Filho amado, de quem me agrado". Jesus responde: "Eu não preciso provar para ninguém que sou Filho de Deus. Eu sei que sou Filho de Deus, e eu sou o amado Filho de Deus. Como sei? Ele me disse".

Jesus nos diz: "Não tenho nenhuma dificuldade em passar fome, em ter necessidades não supridas. O fato de que minhas necessidades não estão sendo satisfeitas não significa que Deus não me ama. Uma coisa não tem nada a ver com a outra. Eu sei que meu Pai me ama".

Quando a serpente tenta encher o coração de Jesus de soberba espiritual, fazendo um teste para ver se Deus vai mesmo cumprir sua promessa de usar os anjos em seu favor, Jesus responde: "Não vou exigir que meu Pai prove que me ama. Não vou rivalizar com meu Pai, para ver qual de nós dois é o mais importante. Não pretendo ocupar o lugar dele. Não vou usurpar a palavra dele a meu respeito".

A serpente dá sua última cartada mostrando a Jesus o esplendor dos reinos do mundo e dizendo: "Tudo isto te darei, se te prostrares e me adorares" (Mt 4.9). A serpente propõe uma rota de fuga para o sofrimento e uma vida cheia de prazer e satisfação de todos os desejos. Jesus responde: "Eu sou o dono de tudo isso e vou pegar da sua mão. Não é você quem vai me dar. Eu vou arrancar da sua mão. Eu sou o legítimo dono de tudo isso. E eu vou adorar ao Pai e fazer a vontade do meu Pai. Você está me confundindo com Adão. Adão fez a sua vontade e serviu você, porque queria mais do que lhe era devido como criatura. Eu não, eu sirvo e adoro apenas ao meu Pai".

O último Adão é vencedor onde o primeiro Adão fracassou. O segundo homem é vitorioso onde o primeiro homem foi derrotado. Jesus nos convida a dizer *sim* ao Pai. E isso fica muito claro na tentação do deserto.

Jesus é o último Adão e o segundo homem. Jesus dá origem a outra dimensão de humanidade. Podemos ser humanos à imagem de Adão. E também podemos ser humanos à semelhança de Jesus.

Podemos nos render aos nossos apetites, desejos e ambições, e adorar a nós mesmos. Podemos escolher a nossa satisfação e a nossa vontade e conveniência acima de todas as coisas. Podemos fazer o caminho dos egos absolutos que pretendem autonomia em relação a Deus. Ou podemos nos ajoelhar diante de Deus e nos render à sua vontade, que é "boa, agradável e perfeita" (Rm 12.2). Podemos seguir o exemplo de Jesus e dizer a Deus "contudo, não seja como eu quero, mas sim como tu queres" (Mt 26.39).

Somos filhos amados de Deus. Não precisamos provar isso a ninguém. E nada pode mudar essa realidade. E também não precisamos exigir que Deus prove que nos ama. Deus já deixou claro seu amor por nós. A cruz do Calvário é a expressão máxima do amor de Deus. Apesar de tudo e todos, e mesmo diante de todas as contradições da vida e do mundo, de todos os sofrimentos e aflições, vivemos sustentados pelo amor de Deus e somos mais que vencedores.

Então, o que acham? Deus está ao nosso lado, assumiu nossa condição e se expôs ao pior quando enviou o próprio Filho. Haveria alguma coisa que ele não faria por nós de modo espontâneo e feliz? Quem ousaria implicar com os escolhidos de Deus, arrumando briga com ele? Quem ousaria ao menos apontar um dedo? Aquele que morreu por nós — e por nós foi ressuscitado para a vida! — está na presença de Deus neste exato momento, intercedendo por nós. Acham que alguém será capaz de levantar uma barreira entre nós e o amor de Cristo por nós? Não há como! Nem problemas, nem tempos difíceis, nem ódio, nem fome, nem desamparo, nem ameaças de poderosos, nem punhaladas nas costas, nem mesmo os piores pecados listados nas Escrituras. Eles nos matam a sangue frio, porque odeiam a ti. Somos vítimas fáceis: eles nos pegam, um a um. Nada disso nos intimida, porque Jesus nos ama. Estou convencido de que nada — vivo ou morto, angelical ou demoníaco, atual ou futuro, alto ou baixo, pensável ou impensável —, absolutamente *nada* pode *se intrometer* entre nós e o amor de Deus, quando vemos o modo com que Jesus, nosso Senhor, nos acolheu.

Romanos 8.31-39, A Mensagem

Galileia

06 Talmidim52

Depois que João foi preso, Jesus foi para a Galiléia, proclamando as boas novas de Deus. "O tempo é chegado", dizia ele. "O Reino de Deus está próximo. Arrependam-se e creiam nas boas novas!"
Marcos 1.14-15

Quando ouvimos a palavra "evangelho", imediatamente associamos a Jesus. Os evangelhos são os registros dos primeiros biógrafos de Jesus, que narram sua vida e obra, e estão compilados no Novo Testamento com o nome de seus autores: Mateus, Marcos, Lucas e João.

Originalmente, entretanto, a palavra "evangelho" não tinha a conotação religiosa de hoje. A palavra quer dizer "boas notícias". Na cultura romana, tratava das notícias a respeito do império e do imperador. Sempre que César conquistava um novo território, enviava arautos anunciando seu evangelho, isto é, a boa notícia da chegada de Roma. O "evangelho de César" era a notícia que se espalhava entre as vilas e aldeias dos povos bárbaros conquistados anunciando "a luz de Roma chegou".

Jesus chega à Galileia dizendo: "Eu também tenho o evangelho. Eu também tenho boas notícias. E não são da parte do imperador romano. As boas notícias que trago dizem respeito ao reino de Deus".

Na verdade, as palavras de Jesus foram "o Reino de Deus está próximo". Mas esse "próximo" não quer dizer que está chegando ou que vai chegar daqui a pouco, em uma semana ou duas. Também não se refere a proximidade geográfica, algo como "ali na aldeia ao lado" ou "na cidade vizinha". A boa notícia que Jesus trazia era: "o reino de Deus chegou", "o reino de Deus está aqui, agora", o reino de Deus é uma realidade imediata.

O evangelho de Jesus era como se ele estivesse dizendo: "Olha, se você estender as mãos, conseguirá tocar no reino de Deus. Na verdade, se você tocar em mim", Jesus poderia ter dito, "você tocará o reino de Deus".

Jesus é a própria presença encarnada do domínio e da autoridade de Deus. Por essa razão, o reino de Deus é chamado por muitos teólogos de "reinado de Deus". O reinado é o ato de Deus exercer sua autoridade e realizar sua vontade. O reino de Deus é, portanto, o ambiente onde a vontade de Deus é feita "assim na terra como no céu". Foi assim que Jesus nos ensinou a orar: "Pai nosso, que estás nos céus! Santificado seja o teu nome. Venha o teu Reino, [venha a nós o teu reinado]; seja feita a tua vontade, assim na terra como no céu" (Mt 6.9-10).

Jesus é o portador do reinado de Deus. Jesus é aquele capaz de exercer a vontade de Deus na terra como no céu. A vida de Jesus foi uma demonstração da vontade de Deus acontecendo, isto é, Deus reinando, manifestando seu reino na terra.

Jesus exerce a autoridade de Deus sobre os espíritos que a Bíblia Sagrada chama de imundos ou malignos, e nós chamamos de diabos e demônios. Todos os demônios e espíritos imundos obedecem às ordens de Jesus, pois Jesus exerce o reinado de Deus.

Jesus exerce sua autoridade e estabelece o reinado de Deus sobre as forças da natureza. Transforma a água em vinho, acalma a tempestade, anda sobre as águas, multiplica os pães e os peixes e possui autoridade também sobre toda sorte de enfermidades. Ao exercer o reinado de Deus, Jesus faz o cego ver, o mudo falar, o surdo ouvir, o paralítico andar. Jesus é a presença da autoridade e do poder de Deus no mundo. Através dele o reinado de Deus se estabelece sobre todas as coisas e a vontade do Pai se realiza.

Este é o evangelho, a boa notícia de Jesus: "O reino de Deus chegou. O reino de Deus está aqui, ao alcance de suas mãos. Quem tocar em mim toca no reino de Deus. Quem está comigo, quem está ao meu redor, quem está sob a minha ação e intervenção está no horizonte do reino-reinado de Deus".

Jesus é o ser humano que disse *sim* para Deus. E nos convida para o reino-reinado de Deus: "Arrependam-se e creiam!". Para participarmos do reino de Deus precisamos não apenas crer em Jesus. Também precisamos nos arrepender. Adão é o ser humano que disse *não* para Deus. Então precisamos abandonar o caminho de Adão e entrar no caminho de Jesus. Isto é, precisamos nos arrepender.

A palavra traduzida do grego por "arrependimento" resulta da soma de duas outras palavras: *meta* + *nous* = metanoia. *Meta* no sentido de "além de". Como, por exemplo, em física e metafísica. Física, o mundo da realidade concreta, material, e metafísica, o mundo que extrapola a realidade física material concreta. *Meta*, o que está além de. E *nous*, que quer dizer "mente". Metanoia é "além da mente" ou "mente que vai além". A melhor tradução que vi para metanoia foi "expansão de consciência".

O que é passar por uma experiência de arrependimento? O que é experimentar a metanoia? É passar por uma expansão de consciência. É passar a enxergar aquilo que antes não enxergávamos, compreender o que antes não compreendíamos, perceber o que antes não percebíamos. O que implica necessariamente mudança de postura, de atitude, de valores, de prioridades e também, e principalmente, de comportamento.

Com seu evangelho Jesus está dizendo: "Não confundam o reino do meu Pai com nenhum outro reino. Não confundam o reino do meu Pai com o reino de Adão ou com o reino de César. No reino do meu Pai as coisas são diferentes. No reino do meu Pai as pessoas não são apedrejadas pelo seu pecado, mas perdoadas.

No reino do meu Pai as pessoas não são humilhadas, mas restauradas em sua dignidade. No reino do meu Pai os trabalhadores não são remunerados na proporção de sua funcionalidade ou produtividade, mas recebem o que lhes é de direito por sua dignidade como seres criados à imagem do meu Pai. No reino do meu Pai os leprosos não ficam à margem. Os mendigos não ficam esparramados à mercê de sua má sorte. No reino do meu Pai há espaço de acolhimento para todo mundo. No reino do meu Pai os idosos e as crianças encontram lugar e aceitação. No reino do meu Pai as prostitutas são bem-vindas. No reino do meu Pai os escravos são libertos".

O evangelho de Jesus segue o padrão "ouvistes o que foi dito, eu, porém, vos digo". Jesus dá novo significado a toda a Torá, faz a releitura completa de todo o ensinamento dos mestres de Israel. A vida no reino do Pai de Jesus, a participação no reinado de Deus, implica arrependimento, metanoia: expansão de consciência, completa mudança de mente. E fé.

Engana-se aquele que pensa que a experiência do reino de Deus se pode resumir à crença em novas verdades ou inusitadas interpretações de uma tradição religiosa. O evangelho do reino de Deus não é um novo conjunto de verdades. A fé de que Jesus fala não se define como acreditar em doutrinas. Não trata de mera aquiescência intelectual a dogmas. A convocação para a metanoia é também o chamado para a fé porque implica a rendição da vontade a Deus. Somente quem confia, tem fé, diz *sim* a Deus.

Mais do que acreditar na boa notícia do reino de Deus, a metanoia há que se fazer acompanhar da confiança no Deus cuja presença é em si a boa notícia. Fé é confiar em Deus e abandonar-se em suas mãos. Fé é render a vontade à autoridade de Deus, submeter-se ao seu reinado.

Foi na Galileia que Jesus começou a anunciar seu evangelho, o evangelho do reino de Deus. O reino de Deus chegou. É tempo de metanoia. É hora de reexaminar a vida, rever os conceitos. É tempo de fé. Confiar a vida às mãos daquele único capaz de fazer de novo a terra e os céus: o Deus e Pai de Nosso Senhor Jesus Cristo.

(RE)NASCER

07 TALMIDIM52

Havia um fariseu chamado Nicodemos, uma autoridade entre os judeus. Ele veio a Jesus, à noite, e disse: "Mestre, sabemos que ensinas da parte de Deus, pois ninguém pode realizar os sinais milagrosos que estás fazendo, se Deus não estiver com ele". Em resposta, Jesus declarou: "Digo-lhe a verdade: Ninguém pode ver o Reino de Deus, se não nascer de novo". Perguntou Nicodemos: "Como alguém pode nascer, sendo velho? É claro que não pode entrar pela segunda vez no ventre de sua mãe e renascer!" Respondeu Jesus: "Digo-lhe a verdade, ninguém pode entrar no Reino de Deus, se não nascer da água e do Espírito. O que nasce da carne é carne. Mas, o que nasce do Espírito é espírito. Não se surpreenda pelo fato de eu ter dito: É necessário que vocês nasçam de novo. O vento sopra onde quer. Você o escuta mas não pode dizer de onde vem nem para onde vai. Assim acontece com todos os nascidos do Espírito".

João 3.1-8

Especialmente pelas controvérsias em que se envolveram com Jesus, os fariseus passaram a ser considerados fanáticos hipócritas, e o nome virou uma espécie de apelido pejorativo para pessoas falsas, que dizem uma coisa e fazem outra. Em sua origem, o significado de fariseu era "separado" ou "santo". O propósito dos fariseus era preservar e observar rigorosamente os mandamentos da lei de Moisés. A intenção era legítima, mas o zelo exagerado fez que se perdessem. Alguns fariseus, entretanto, eram honestos em sua peregrinação religiosa.

Nicodemos era fariseu. Era um mestre da Lei em Israel. Um estudioso da Torá. Tratava-se realmente de um observador da Lei de Moisés, ou assim se compreendia. Um homem muito esclarecido nas questões da espiritualidade judaica. A conversa de Nicodemos com Jesus começa com uma declaração da autenticidade da pessoa e do ensino de Jesus: "Sabemos que ensinas da parte de Deus, pois ninguém pode realizar os sinais milagrosos que estás fazendo se Deus não estiver com ele" (Jo 3.2).

Jesus está percorrendo a Galileia anunciando "o reino de Deus chegou". Ele convoca todas as pessoas para que se arrependam e creiam no evangelho, a boa notícia de que Deus deseja realizar sua vontade. Jesus afirma sobre si mesmo que a esperança de Israel se cumpriu: o Messias chegou, e com ele o reinado de Deus começou.

Nicodemos vai até Jesus com a certeza de que de fato ele é ungido por Deus: "Parece ser verdadeiro tudo o que você está dizendo, pois você está realmente manifestando a vontade de Deus e está claro que Deus está com a mão sobre a sua cabeça". Mas Jesus interrompe o discurso de Nicodemos e sugere que ele ainda não é capaz de discernir os mistérios do reino de Deus e nem mesmo participar do reinado de Deus. Jesus, então, coloca esse mestre de Israel diante de um grande desafio: nascer de novo.

Nicodemos sabe que Jesus não está falando que ele deve nascer de novo literalmente, isto é, voltar ao ventre de sua mãe. Ele está falando metaforicamente. Mas, então, o que significa nascer de novo? Jesus explica que "o que nasce da carne é carne, mas o que nasce do Espírito é espírito" (Jo 3.6). Mais uma vez ele faz referência à diferença entre nascer como filho de Adão e nascer como filho de Deus.

Nascer da carne, que Jesus associa com nascer da água, é nascer como herdeiro de Adão. Nascer da água é o nascimento natural, biológico. É o primeiro nascimento, que toda a humanidade tem em comum. Mas lembre-se de que Adão é o ser humano que disse *não* para Deus. Foi expulso do paraíso, vive numa terra seca, no deserto, e está alienado de Deus.

Jesus afirma que os que desejam participar do reino de Deus precisam nascer também do Espírito, ou ainda nascer espiritualmente. A morte é uma metáfora do afastamento de Deus, assim como a expulsão do paraíso.

Nascer de novo implica a consciência de que não somos espíritos autônomos em relação a Deus. O ser humano não é autoexistente, deriva sua vida de outro espírito, o Espírito de Deus. Deus é. Nós existimos.

Viktor Frankl, o famoso precursor da chamada terceira escola de psicanálise, a logoterapia, diz: "a consciência é o umbigo da alma". Isso significa que, assim como o cordão umbilical demonstra que nosso corpo tem origem em outro organismo, a consciência é a evidência de que nosso espírito procede de outro espírito. A consciência é essa voz que fala dentro da gente, praticamente autônoma em relação a nós mesmos. É a voz com quem a gente conversa como se estivesse conversando com outra pessoa.

Lembro da noite em que minha filha, ainda bem pequena, me chamou em seu quarto e disse: "Pai, uma coisa estranha está acontecendo. Eu mando meu braço levantar e ele não levanta. Depois eu mando meu braço abaixar e ele também não me obedece". Naquele momento minha filha estava descobrindo a voz. A voz da consciência. Essa voz que mora na gente como se fosse outra pessoa. Eu disse a ela: "Filha, existe uma voz dentro de você. Ela se chama consciência. Você vai conversar com essa voz muitas vezes ao longo da sua vida. Preste muita atenção a essa voz. Deus vai usar essa voz para falar com você".

Jesus ensinou a Nicodemos que ele era um filho de Adão. Mas era também um filho de Deus. Nicodemos, assim como toda a raça humana, era herdeiro da vida biológica de Adão. Mas Jesus estava dizendo que existe outro doador de vida, que não é Adão. Alguém doou vida para Adão, é esse Alguém é também o doador da vida de todos os seres vivos. É a esse Alguém que você deve se vincular. É a esse Espírito que você deve submeter o seu espírito. Todo ser humano deve nascer da parte de Deus. Nascer da água, como filho de Adão. E do Espírito, como filho de Deus.

O novo nascimento implica mudança radical na existência. Quando percebemos que nosso espírito está vinculado ao Espírito de Deus, experimentamos a metanoia. Tudo passa a ser diferente. Somos colocados diante de uma porta que dá acesso a todo o universo espiritual e a todos os outros espíritos.

Nós, seres humanos, somos orientados biologicamente, trazemos a bagagem genética e todos os registros psíquicos que herdamos dos pais e antepassados. Somos orientados, mas não somos determinados. Não estamos destinados a repetir histórias. Não somos prisioneiros dessa herança biopsíquica. Podemos nos reinventar. Podemos ser reinventados por Deus. Podemos ser transformados. Podemos ser reeducados pelo Espírito de Deus. Não somos animais irracionais, somos seres humanos.

Cachorro é sempre cachorro.

Tigre é sempre tigre.

Do mesmo jeito.

Quem já viu uma casa de joão-de-barro com sauna, piscina e elevador? Não existe. João-de-barro é joão-de-barro. Ele é determinado já para ser joão--de-barro.

Os seres humanos não.

Nós, seres humanos, somos abertos à transcendência. E por que somos abertos à transcendência? Porque temos a possibilidade de nascer de novo. Nascer do Espírito. Abrir nosso espírito à influência e ao controle do Espírito de Deus.

Somos seres espirituais.

Teilhard de Chardin, teólogo jesuíta, filósofo e paleontólogo francês, disse que "não somos seres humanos que têm uma experiência espiritual, somos seres espirituais passando por uma breve experiência humana".

Jesus está dizendo mais ou menos isso quando nos convida a nascer de novo. Somos muito mais do que a vida natural que recebemos de Adão. O que somos se explica pela vida espiritual que recebemos do Espírito de Deus. Nascer de novo é responder *sim* a essa generosidade divina que reparte a sua vida com todos.

Todo ser humano é chamado a dizer "*sim*, eu quero, eu quero ir além das possibilidades da vida biológica; eu quero, eu quero acordar para o mundo espiritual, eu quero a vida do Espírito. Eu quero nascer de novo. Eu quero nascer uma segunda vez. Não estou contente com apenas cumprir minha sina no mundo, como se o meu destino estivesse preestabelecido no meu nascimento e na minha origem histórico-genético-psíquico-emocional. Eu quero entrar por essa porta que me abre um horizonte eterno de possibilidades. Eu quero vincular meu espírito ao Espírito de Deus. Eu quero viver com essa consciência de que o meu espírito está vinculado ao Espírito de Deus".

O apóstolo Paulo diz que o Espírito de Deus fala com o nosso espírito dizendo "somos filhos de Deus" (Rm 8.16). Eu quero ouvir essa voz do Espírito de Deus falando com o meu espírito. Eu quero viver com essa convicção de que o meu espírito fala, e o Espírito de Deus também ouve. Eu quero. Eu quero renascer.

ASHREI

08 TALMIDIM 52

> *Vendo as multidões, Jesus subiu ao monte e se assentou. Seus discípulos aproximaram-se dele, e ele começou a ensiná-los, dizendo: "Bem-aventurados os pobres em espírito, pois deles é o Reino dos céus. Bem-aventurados os que choram, pois serão consolados. Bem-aventurados os humildes, pois eles receberão a terra por herança. Bem-aventurados os que têm fome e sede de justiça, pois serão satisfeitos. Bem-aventurados os misericordiosos, pois obterão misericórdia. Bem-aventurados os puros de coração, pois verão a Deus. Bem-aventurados os pacificadores, pois serão chamados filhos de Deus. Bem-aventurados os perseguidos por causa da justiça, pois deles é o Reino dos céus".*
> MATEUS 5.1-10

A mensagem de Jesus era clara: "O reino de Deus chegou. Arrependam-se e creiam. Vocês precisam nascer de novo para que possam participar do reino de Deus". Muitas pessoas se arrependeram e creram. Passaram a seguir os passos de Jesus e se tornaram seus talmidim, seus discípulos. As bem-aventuranças descrevem essas pessoas que disseram *sim* ao reino de Deus.

Logo após declarar quem são os bem-aventurados talmidim do reino de Deus, Jesus diz que eles são "sal da terra e luz do mundo". Diz também que "não se pode esconder uma cidade edificada sobre o monte". Novamente Roma está presente no discurso de Jesus. E presente de maneira crítica.

Qual era a cidade edificada sobre o monte? Era Roma. Qual era a cidade luz? Era Roma. Quem levava a luz aos povos? Era Roma. Qual era o evangelho anunciado naqueles dias? O evangelho de César, o imperador romano. Mas Jesus está confrontando tudo isso. Proclama alto e bom som que ele é o verdadeiro Cristo, Senhor e Filho de Deus. Anuncia o evangelho do reino de Deus. E diz que a verdadeira luz do mundo brilha sobre seus discípulos, e não sobre Roma. Os filhos do reino de Deus são a verdadeira comunidade iluminada. Os talmidim de Jesus são a comunidade que brilha sob a luz de Deus.

Mas, estranhamente, os filhos de Deus são os mais improváveis. Jesus faz a esperança do mundo repousar nas mãos daqueles que o mundo despreza. O ministério de Jesus começa na Galileia. O evangelista Mateus nos conta a seguinte história:

> Jesus foi por toda a Galileia, ensinando nas sinagogas deles, pregando boas novas do Reino e curando todas as enfermidades e doenças entre o povo. Notícias sobre ele se espalharam por toda a Síria, e o povo lhe trouxe todos os que sofriam de

vários males e tormentos: endemoninhados, loucos e paralíticos; e ele os curou. Grandes multidões o seguiam, vindas da Galileia, Decápolis, Jerusalém, Judeia e da região do outro lado do Jordão.

Mateus 4.23-25

As pessoas que Jesus chama de bem-aventuradas são descritas como enfermas, doentes que padecem de vários males e tormentos, endemoninhados, loucos e paralíticos. Uma grande multidão de miseráveis e desafortunados.

Ali diante de Jesus estava uma multidão de pessoas machucadas e feridas. Feridas pela vida. Mas também, e principalmente, pessoas oprimidas por Roma. A Palestina de então era um território ocupado pelo Império Romano. Os judeus daquela época estavam sob a opressão e o jugo romano. A tirania de Roma pesava contra Israel.

Aquelas eram pessoas sofridas, que tiveram seus direitos usurpados, seus familiares mortos, assassinados, e suas posses tomadas à força por Roma. Aquele era um território controlado e espoliado por Roma. As pessoas pagavam ao Império Romano impostos extorsivos. Aquela era uma multidão de gente sofrida, escravizada e pobre. Era gente miserável. Aquela era uma multidão de pessoas que não tinha a quem recorrer. Quando perceberam e discerniram que Jesus manifestava o poder de Deus, correram para Jesus. Ele olha aquela multidão, senta-se numa postura própria dos rabinos de Israel e passa a ensinar seus talmidim dizendo que aquela multidão estava cheia de gente bem-aventurada.

A expressão traduzida por "bem-aventurado" vem do hebraico "ashrei". André Chouraqui, estudioso das línguas semíticas, diz que "ashur" é o pé e "ashrei" é aquele que caminha. Jesus chama seus discípulos, seus talmidim, de *ashrei*, isto é, aqueles que caminham.

No Ocidente traduzimos "bem-aventurança" por felicidade. Mas nada poderia estar mais distante do evangelho de Jesus do que o conceito de felicidade da cultura ocidental. A felicidade definida em termos de conforto, prosperidade, satisfação, realização de desejos é algo completamente estranho ao conceito de "felicidade" da Bíblia Sagrada. A felicidade como prazer e ausência de dor e sofrimento é absolutamente alheia à cultura judaica e ao que Jesus chamaria de "felicidade". Quando Jesus usa a expressão "ashrei", traduzida por "bem-aventurado" ou "feliz", ele está descrevendo "aqueles que estão em marcha".

Para onde marcham os talmidim de Jesus? Para o reino de Deus. Na verdade, marcham no reino de Deus e para o reino de Deus. Marcham no reino de Deus que já chegou e para o reino de Deus que será consumado na eternidade.

Bem-aventurados aqueles que marcham para o reino de Deus, felizes aqueles que realmente experimentarão as dimensões profundas da vida e as realidades mais extraordinárias da parte de Deus. Essa é a bem-aventurança de Jesus.

"Ashrei" os pobres de espírito, pois deles é o reino dos céus. Reino de Deus e reino dos céus são expressões sinônimas que fazem referência ao "shalom" da tradição de Israel. "Shalom" é o reino de paz e de prosperidade, o reino de abundância de tudo para todos. Jesus está profetizando que felizes são aquelas pessoas que se sentem oprimidas pelos romanos, uma metáfora do reino das trevas e uma expressão do reino de Adão, mas que amanhã participarão da plenitude do reino de Deus, para onde marcham. Felizes são aqueles que já colocaram sua esperança no reino de Deus, e por isso já começam a marchar em sua direção.

As "bem-aventuranças" não são, portanto, uma lista de virtudes. Jesus não está dizendo que as pessoas são bem-aventuradas porque são pobres em espírito. Não está elogiando os que choram, nem os que têm fome e sede de justiça. As bem-aventuranças descrevem a condição dos talmidim, não suas virtudes.

Os discípulos do reino de Deus são felizes, bem-aventurados, não porque choram, mas porque serão consolados. Não porque são pobres em espírito, mas porque herdarão o reino de Deus. Os discípulos de Jesus são bem-aventurados porque são "ashrei", estão em marcha.

Os talmidim de Jesus são bem-aventurados e felizes porque terão satisfeitas sua fome e sede justiça, alcançarão misericórdia, verão a Deus. A grande bênção dessas pessoas está no fato de que receberão um favor de Deus. Elas, que marcham à luz do reino de Deus, receberão seu favor e participarão de seu reino, em plenitude.

Os talmidim de Jesus são aqueles desprovidos de tudo, porque tudo lhes falta; são pobres, pobres em espírito. E porque sua condição é de verdadeira miserabilidade, tendo sido espoliados e usurpados, têm fome e sede de justiça. Quem tem fome e sede de justiça? Quem foi aviltado em seu direito, quem foi usurpado em sua dignidade, quem teve os seus bens, os seus valores, os seus tesouros tomados de assalto por um poder maior? A expressão "mansos" indica aqueles que não têm vez nem voz, não têm forças para defender-se, gritam e ninguém escuta.

Por que as multidões choram aos pés de Jesus? Choram seus mortos. E por isso também têm misericórdia, são solidárias no sofrimento. Quem são os pacificadores senão aqueles cansados da guerra. Os que promovem a paz gritam desesperados: "Parem com essa violência! Parem com essa matança! Parem com essa conquista, com essa volúpia de conquista à custa de vidas humanas! Parem de sacrificar os seres humanos! Parem de matar nossos filhos!".

Pureza de coração não é uma virtude espiritual. Na verdade, toda a Bíblia diz que o que falta aos filhos de Adão é um coração puro. Essa pureza está mais próxima de ingenuidade e inocência simplória. Os talmidim de Jesus são vazios de arrogância e prepotência. São cientes de sua condição de penúria e necessidade. Justamente porque miseráveis e padecendo de toda sorte de males e sofrimentos, levantam os olhos para o céu e se abrem para o reino de Deus.

Na tradição teológica latino-americana há quem afirme que "Deus fez uma opção preferencial pelos pobres". Não me sinto confortável com essa crença, mas uma coisa é certa: os pobres fizeram uma opção preferencial por Deus. Desde os tempos de Jesus, que sempre tratou com misericórdia e compaixão os que sofrem, mas criticou duramente os ricos e poderosos: "É mais fácil passar um camelo pelo fundo de uma agulha do que um rico entrar no Reino de Deus" (Mt 19.24).

Os talmidim de Jesus são aqueles que perderam toda a esperança no reino de Adão e se recusam a participar dos reinos dos césares de ocasião, esses imperadores que se estabelecem na tirania, na força bruta, na opressão e na violência desmedida.

Mas quem pensa que Jesus está fazendo apologia à fraqueza e à miséria muito se engana. Quem acredita que os talmidim de Jesus são um amontoado de covardes, abandonados e coitados está longe da verdade. Porque entraram na marcha no reino de Deus e para o reino de Deus, abandonaram seu papel de vítimas e se tornaram protagonistas de um novo mundo. Tomaram nas mãos sua pobreza e miserabilidade, seu padecimento da injustiça e do abuso, sua lágrima de dor e de luto, seu coração misericordioso, seu amor pela paz e a pureza do coração e redimensionaram tudo a partir da boa notícia do reino de Deus. Desde então marcham pelo mundo como profetas de um novo céu e uma nova terra.

E por isso são sal da terra e luz do mundo. São a esperança do mundo, pois sua salvação não vem dos poderosos. Não vem de quem tem mais força. Não vem dos ricos, dos encastelados. Não vem dos imperadores. De onde vêm a esperança e as soluções para um mundo como o nosso? Vêm daqueles que sofrem, daqueles que são oprimidos pelo mundo feito pelos poderosos. Vêm daqueles que recebem a boa notícia do reino de Deus, dos que abandonam a condição de vítimas e se colocam em marcha, crendo na boa notícia de que o reino de Deus prevalecerá sobre todos os reinos. São eles, os que experimentaram a metanoia, nasceram de novo e foram feitos por Deus a grande força capaz de promover mudanças na história a partir da utopia que vai para além da história.

Os talmidim de Jesus estão em marcha. Marcham no reino de Deus. Marcham para o reino de Deus. Marcham porque sua esperança os coloca em movimento. São pobres e despossuídos, mas não desistem de caminhar. Choram e clamam por justiça, mas não interrompem a marcha. Clamam por misericórdia e paz, mas seguem pacificadores no caminho da solidariedade. Podem ser considerados simplórios e vazios de grandes ambições, mas marcham com os olhos fixos em Deus. Sim, eles conseguem ver a Deus.

Torá

09 Talmidim52

Não pensem que vim abolir a Lei ou os Profetas; não vim abolir, mas cumprir. Digo--lhes a verdade: Enquanto existirem céus e terra, de forma alguma desaparecerá da Lei a menor letra ou o menor traço, até que tudo se cumpra. Todo aquele que desobedecer a um desses mandamentos, ainda que dos menores, e ensinar os outros a fazerem o mesmo, será chamado menor no Reino dos céus; mas todo aquele que praticar e ensinar estes mandamentos será chamado grande no Reino dos céus. Pois eu lhes digo que se a justiça de vocês não for muito superior à dos fariseus e mestres da lei, de modo nenhum entrarão no Reino dos céus.
Mateus 5.17-20

O que significa "cumprir a Lei"? Primeiro precisamos entender o que é a Lei. Jesus está se referindo à Torá. Em seu sentido mais simples, a Torá é o nome que se dá aos cinco primeiros livros da Bíblia: Gênesis, Êxodo, Levítico, Números e Deuteronômio. A Torá, portanto, é um conjunto de livros denominado Pentateuco. Nos chamados Livros da Lei de Moisés estão registrados os mandamentos de Deus para seu povo, Israel. Os Livros da Lei regulam o culto, o Estado e a sociedade de Israel. As orientações de Deus se referem à nação, uma espécie de constituição que regula a organização do povo no que hoje chamamos de Estado, ao culto, à lei cerimonial, que orienta a organização religiosa do povo, e à lei moral, que regula a vida em sociedade.

No Pentateuco, você encontra, portanto, orientações para distribuição e uso da terra (lei nacional) e para os sacrifícios realizados pelos sacerdotes para perdão dos pecados do povo (lei cerimonial ou religiosa), e também os famosos não matarás, não adulterarás, não darás falso testemunho, não cobiçarás... (lei moral).

Mas em seu sentido mais profundo, a Torá é a revelação da justiça de Deus. Seus mandamentos não se constituem numa questão meramente moral. A Lei de Deus não se resume ao ordenamento de comportamentos pessoais individuais ou coletivos. Sua justiça é baseada em seu caráter, e os mandamentos são apenas uma expressão restrita da própria pessoa divina. Por isso o apóstolo Paulo diz que "o fim da Lei é Cristo" (Rm 10.4).

As expressões "cumprir a Lei", "cumprir a justiça de Deus" e "o fim da Lei é Cristo" estão ligadas entre si de maneira indissociável. Então, precisamos compreender como todas elas se relacionam e como uma interpreta a outra.

Jesus não é apenas um "homem moral", no sentido de alguém com comportamento irrepreensível. Jesus é essencialmente o homem conforme o caráter, a pureza e a santidade de Deus. Por essa razão é o único ser humano a cumprir a Lei. Mais do que obedecer aos mandamentos de Deus, Jesus cumpre a justiça de Deus. Jesus é o perfeito obediente. Jesus é o Filho que obedece ao Pai de maneira perfeita. Jesus é o Filho que expressa a totalidade do caráter de Deus, isto é, da justiça de Deus. Em outras palavras, Jesus é o que Adão não conseguiu ser. Jesus é o que Adão deveria ter sido. Jesus é o que Adão escolheu *não* ser. Jesus é o Filho completamente submisso à vontade do Pai. Jesus cumpriu a Lei.

Jesus é também aquele que cumpre a Lei em nosso lugar, porque nos era impossível cumpri-la. A maneira como sabemos de uma coisa e outra, isto é, que não seríamos capazes de cumprir a Lei e que Jesus o fez por nós, está clara na Bíblia. Os mandamentos morais são apenas o padrão de medida da retidão do caráter. O cumprimento dos mandamentos de Deus é uma expressão do caráter justo. O apóstolo Paulo nos ensina que "é mediante a Lei que nos tornamos plenamente conscientes do pecado" (Rm 3.20). A Lei revela nossa condição de pecadores. Como a Lei faz isso? Simplesmente nos mostrando que não somos capazes de obedecer aos mandamentos morais de Deus. O mesmo Paulo diz "eu não saberia o que é pecado, a não ser por meio da Lei. Pois, na realidade, eu não saberia o que é cobiça, se a Lei não dissesse: 'Não cobiçarás'" (Rm 7.7).

Escrevendo aos Gálatas, Paulo diz que a Lei foi a tutora que nos conduziu a Cristo. A Lei revela nossa necessidade de Cristo. A Lei nos faz conscientes de nossa insuficiência diante de Deus. A Lei cumpre o duplo propósito de revelar nossa condição de insuficiência e de escravidão ao pecado — incapacidade de cumprir a justiça de Deus — e também nossa necessidade de Cristo e, ao mesmo tempo, a suficiência dele, uma vez que Jesus é o Filho perfeito que representa toda a raça humana e cumpre a Lei e a justiça em nome de todos nós. Esse é um dos sentidos de "o fim da Lei é Cristo".

Há ainda outro sentido em que Jesus cumpre a Lei. Primeiro, ele a cumpre porque obedece à Lei perfeitamente, sendo ele mesmo a perfeita encarnação da justiça de Deus. Mas Jesus também cumpre a Lei porque toma sobre si o castigo da Lei.

Jesus "levou em seu corpo os nossos pecados sobre o madeiro" (1Pe 2.24), disse o apóstolo Pedro. "Deus em Cristo estava reconciliando consigo o mundo, não levando em conta os pecados dos homens [...]. Deus tornou pecado por nós aquele que não tinha pecado, para que nele nos tornássemos justiça de Deus" (2Co 5.19,21), disse o apóstolo Paulo. Ambos os apóstolos fazem referência ao profeta Isaías: "Certamente ele tomou sobre si as nossas enfermidades e sobre si levou as nossas doenças; contudo nós o consideramos castigado por Deus, por ele atingido e afligido. Mas ele foi transpassado por causa das nossas transgressões, foi esmagado por causa de nossas iniquidades; o castigo que nos trouxe paz estava sobre ele, e pelas suas feridas fomos curados. Todos nós, tal qual ovelhas, nos desviamos, cada um de nós se voltou para o seu próprio caminho; e o SENHOR fez cair sobre ele a iniquidade de todos nós" (Is 53.4-6).

A morte de Jesus na cruz do Calvário foi necessária para o cumprimento da justiça de Deus. Por meio de sua morte na cruz, Jesus "tomou sobre si o castigo da lei", e assim nos redimiu da maldição da Lei. A Lei de Moisés dizia que "qualquer que for pendurado num madeiro está debaixo da maldição de Deus" (Dt 21.23). O apóstolo Paulo usa essa referência para associar a morte de Jesus na cruz com a nossa redenção. Todos nós, incapazes de cumprir a justiça de Deus, estávamos sob a maldição de Deus, mas "Cristo nos redimiu da maldição da Lei quando se tornou maldição em nosso lugar" (Gl 3.13).

Essa é a lógica da revelação de Deus. A Bíblia diz que "o salário do pecado é a morte" (Rm 6.23), isto é, a consequência do pecado é a morte. Faz sentido, pois de Deus deriva a vida. Somos vivos porque fomos chamados por Deus à existência. Não temos vida em nós mesmos. Vivemos de favor, o favor de Deus. Quando rompemos com ele, o que fez Adão ao dizer-lhe *não*, perdemos o direito de existir. É isso que significa "o salário do pecado é a morte". Desligados da fonte da vida, perdemos a condição de existência, isto é, morremos.

Mas isso não se aplica a Jesus. O primeiro discurso feito na história a respeito da ressurreição de Jesus diz que "Deus o ressuscitou dos mortos, rompendo os laços da morte, porque era impossível que a morte o retivesse" (At 2.24). A morte não consegue manter Jesus preso em suas garras porque a morte é salário do pecado. A morte é consequência do pecado, e Jesus passou por todo tipo de tentação, porém, sem pecado (Hb 4.15). Na qualidade de homem perfeito, cumpre a Lei, e por isso pode tomar sobre si o castigo da Lei e vencer a morte. A morte não tem direito sobre Jesus.

Jesus cumpriu a Lei, disse *sim* para Deus. E, porque cumpriu a Lei, pode também cumprir a justiça de Deus. Assim como em sua obediência perfeita Jesus representa toda a humanidade, também em sua morte na cruz representa a todos nós.

Jesus nos devolve a possibilidade de ser e existir. Um direito de ser e existir que não se fundamenta nem se sustenta na obediência à Lei. Vivemos e existimos não porque somos perfeitos, perfeitamente obedientes a Deus ou porque cumprimos a Lei em perfeição. Vivemos e existimos porque Jesus nos concede esse direito de ser e existir. Um direito que não merecíamos, mas nos foi outorgado. Isso é o que significa "viver pela graça", pois a justiça que nos cobre é uma justiça da qual nos apropriamos pela fé, e então finalmente compreendemos o significado de o fim da Lei é Cristo, para a justificação de todo o que crê (Rm 10.4).

JUGO

> *Venham a mim todos os que estão cansados e sobrecarregados, e eu lhes darei descanso. Tomem sobre vocês o meu jugo e aprendam de mim, pois sou manso e humilde de coração, e vocês encontrarão descanso para as suas almas. Pois o meu jugo é suave e o meu fardo é leve.*
>
> MATEUS 11.28-30

Os rabinos eram essencialmente intérpretes da Lei. Sua maior preocupação consistia em discernir como colocar em prática a Lei de Moisés. A espiritualidade judaica é uma espiritualidade de ação. Os rabinos estavam preocupados e ocupados em saber como viver de acordo com a Torá.

Os rabinos buscavam a melhor interpretação do que era permitido e proibido na Lei de Moisés. A Lei ordenava guardar o sábado:

> Lembra-te do dia de sábado, para santificá-lo. Trabalharás seis dias e neles farás todos os teus trabalhos, mas o sétimo dia é o sábado dedicado ao SENHOR, o teu Deus. Nesse dia não farás trabalho algum, nem tu, nem teus filhos ou filhas, nem teus servos ou servas, nem teus animais, nem os estrangeiros que morarem em tuas cidades. Pois em seis dias o SENHOR fez os céus e a terra, o mar e tudo o que neles existe, mas no sétimo dia descansou. Portanto, o SENHOR abençoou o sétimo dia e o santificou.
>
> Êxodo 20.8-11

Considerando que o sábado é dia de descanso, os rabinos perguntariam: como podemos interpretar o que é trabalho e o que não é? Por exemplo: quantos quilômetros um judeu pode caminhar sem quebrar o mandamento de "guardar o sábado". Um rabino diria: "Cinco quilômetros" e outro: "Cinco quilômetros, desde que não se leve nenhuma carga". Os rabinos dedicavam a vida essencialmente a discutir o horizonte de possibilidades de práticas da Lei para a vida dos seguidores. Seu grande desejo era chegar o mais próximo possível da intenção original de Deus ao proferir um mandamento.

As discussões eram minuciosas e até mesmo engraçadas. Ainda a respeito do sábado, um rabino diria: "Se a sua casa pegar fogo e você juntar suas roupas e levá-las consigo em sacolas ao sair da casa em chamas, você quebrou o mandamento, pois trabalhou. Você deveria ter saído de casa sem recolher nada, deixando que tudo fosse queimado pelo fogo". Mas outro rabino poderia dizer: "Você não pode trabalhar carregando sacolas de roupas, mas pode vestir quantas roupas quiser. Se você conseguir vestir três ou quatro túnicas, não será considerado trabalho, pois você saiu apenas com a roupa do corpo".

À luz de suas interpretações peculiares, cada rabino possuía sua lista particular de "permissões e proibições" para uma vida em obediência à Torá. Tais listas eram chamadas de "jugo do rabino". Cada rabino possuía seu jugo, a que somente seus discípulos eram obrigados a obedecer.

Nos dias de Jesus, dois rabinos muito famosos debatiam entre si: Hillel e Shammai. Quando as pessoas perguntam para Jesus: "É permitido ao homem divorciar-se de sua mulher por qualquer motivo?" (Mt 19.3), na verdade elas queriam saber se Jesus concordava com Hillel ou com Shammai. Elas não estavam perguntando se Jesus era contra ou a favor do divórcio, porque o divórcio estava previsto na Lei de Moisés. O que elas queriam saber era "em que circunstâncias" o divórcio seria legítimo, isto é, queriam saber qual era "o jugo de Jesus". Shammai era um rabino rigoroso e conservador em suas interpretações. Acreditava que o divórcio era permitido apenas em situações extremas. Hillel era um rabino mais flexível e permitia o divórcio mesmo por questões triviais, como, por exemplo, no caso de a mulher "cozinhar mal". Jesus responde optando pela escola rabínica de Shammai.

Os rabinos viviam fazendo perguntas aos discípulos. Por exemplo: "O que é guardar o sábado?". Quando o discípulo respondia satisfatoriamente, o rabino dizia: "Muito bem, você cumpriu a Lei". Caso a resposta não fosse aceitável, o rabino o repreendia, dizendo: "Você aboliu a Lei".

De tempos em tempos aparecia um rabino que dizia ter uma nova interpretação da Lei. Os rabinos mais antigos se reuniam para discutir se essa nova interpretação cumpria ou abolia a Lei. Para um rabino ter sua autoridade reconhecida, deixando de ser discípulo sob o jugo de outro rabino e receber o direito de ter seu próprio jugo, era necessária a aprovação de pelo menos dois rabinos mais antigos. Quando eles diziam: "Cremos que este novo rabino tem autoridade para interpretar a Lei e que suas interpretações cumprem a Lei", o novo rabino recebia "as chaves do reino", permissão para "abrir e fechar", "ligar e desligar", "permitir e proibir", isto é, colocar seu jugo sobre seus discípulos.

É nesse contexto que Jesus convida as multidões: "Venham a mim, todos os que estão cansados e sobrecarregados, e eu lhes darei descanso. Tomem sobre vocês o meu jugo e aprendam de mim, pois sou manso e humilde de coração, e vocês encontrarão descanso para as suas almas. Pois o meu jugo é suave e o meu fardo é leve" (Mt 11.28-30).

Jesus está dizendo mais ou menos o seguinte: "Vocês sabem que cada rabino tem seu jugo. Eu também tenho um jugo. Eles interpretam a lei de um jeito, mas eu tenho a minha própria interpretação". Foi assim que Jesus se pronunciou no Sermão do Monte: "Vocês ouviram o que foi dito, mas eu lhes digo".

Essa mesma autoridade Jesus transfere ao apóstolo Pedro, o primeiro a confessar que Jesus é "o Cristo, o Filho do Deus vivo" (Mt 16.16). Em resposta à confissão de Pedro, Jesus diz:

> Feliz é você, Simão, filho de Jonas! Porque isto não lhe foi revelado por carne ou sangue, mas por meu Pai que está nos céus. E eu lhe digo que você é Pedro, e sobre esta pedra edificarei a minha igreja, e as portas do Hades não poderão vencê-la. Eu lhe darei as chaves do Reino dos céus; o que você ligar na terra terá sido ligado nos céus, e o que você desligar na terra terá sido desligado nos céus.
>
> Mateus 16.17-19

A rocha sobre a qual a igreja está edificada não é Pedro, mas a confissão de Pedro a respeito da messianidade de Jesus, ou mesmo a própria messianidade de Jesus ou, ainda, o própria pessoa de Jesus (1Pe 2.4-8). Ele estava dizendo aos discípulos: "Aqui estão as chaves do reino. O que vocês ligarem aqui será ligado no céu. A mesma autoridade que recebi, eu lhes dou. A mesma autoridade que eu tenho, a minha Igreja tem".

A partir da confissão de Pedro e da admissão pública a respeito da messianidade de Jesus, surge um novo grupo de discípulos judeus na Palestina: pessoas que não estavam mais sob o jugo da Lei de Moisés, mas sim sob o jugo de Jesus.

Jesus diz que a sua interpretação da Torá é um fardo suave, e seu jugo é um peso leve. Sua afirmação contrasta com as exigências dos rabinos da época, tão exageradas que eles mesmos não conseguiam cumprir (Mt 23.2-4).

O convite de Jesus, entretanto, parece contraditório, pois à primeira vista seu jugo é bem mais pesado do que o jugo dos outros rabinos. Jesus parece ser muito mais rigoroso do que o mais zeloso dos rabinos de sua época, até mesmo mais zeloso do que Shammai. A Lei de Moisés trazia o mandamento "não matarás". Jesus o interpretava afirmando que "qualquer que se irar contra seu irmão estará sujeito a julgamento" (Mt 5.22). Moisés dizia que "você não pode matar uma pessoa". Jesus acreditava que "odiar é o mesmo que matar". Os rabinos da época diziam: "você não pode cometer adultério". Jesus diz: "não existe diferença entre cometer adultério e olhar para uma mulher com intenção impura". Parece mesmo que Jesus é muito mais rigoroso do que os rabinos da época. Mas ao mesmo tempo ele diz que seu jugo é suave e o seu fardo é leve.

A explicação para essa aparente contradição está no fato de que nosso relacionamento com Deus não está baseado na obediência moral. A relação que cultivamos com Deus não tem como critério o cumprimento rigoroso dos seus mandamentos. Brennan Manning diz que "Deus ama você do jeito que você é, e não do jeito que você deveria ser, simplesmente porque você jamais será do jeito que você deveria ser".

Jesus nos oferece um relacionamento baseado na graça de Deus. Vivemos no Espírito de Cristo e não na moral do Cristo. Jesus é o perfeito obediente. Vivemos revestidos da justiça de Cristo. Justiça que não está na Lei, a justiça que é da fé: "o fim da Lei é Cristo, para a justificação de todo o que crê" (Rm 10.4). Vivemos pela fé, descansando na graça de Deus.

Diferentemente de fazer pouco caso dos mandamentos de Deus, os discípulos de Jesus estão comprometidos com a justiça, pois estão sob o jugo de Jesus. Mas não carregamos o peso da obrigatoriedade e da penalidade da Lei, porque Jesus tomou sobre si esse peso. Os discípulos de Jesus não vivem com medo de Deus.

O jugo de Jesus, ainda que alcance o mais profundo de nossas motivações e toque o âmago de nosso ser, é um jugo suave. E seu fardo é leve. A Lei não é mais uma fonte de opressão, mas um caminho de vida.

Os talmidim de Jesus não vivemos obcecados por comportamento moral. Não tememos o julgamento da Lei. Não interpretamos os mandamentos como critérios para o relacionamento com Deus. Os talmidim de Jesus buscamos, sim, a justiça que é revelada pela Lei, mas vivemos essa busca de justiça descansados no amor e na graça de Deus. Sabemos que Deus é amor. E que Cristo é nosso companheiro de viagem.

Os talmidim de Jesus estamos livres dos jugos religiosos. Fomos libertos da culpa e das frustrações que nos afligiam a alma. Deixamos para trás aquela vida obcecada pela perfeição moral. Ouvimos Jesus dizendo: "Esse peso é demasiado para você. Você está sobrecarregado, você está cansado. Jogue fora este peso da Lei. Não viva com Deus na base da contabilidade de méritos e deméritos. Abandone esse senso de obrigatoriedade de obediência a preceitos e mandamentos morais. Viva com Deus uma relação de amor e de afeto. Busque a justiça de Deus de modo natural, como caminho de vida. Descanse no amor de Deus e em sua graça, derramada em nós pelo seu Santo Espírito. Tome sobre você o meu jugo", nos diz Jesus. "Jogue fora o peso excessivo, opressivo, castrador, destruidor e maldito da religião moral. Descanse na graça e no amor de Deus. Tome sobre você o meu jugo suave e o meu fardo leve."

Sermão

Pois eu lhes digo que se a justiça de vocês não for muito superior à dos fariseus e mestres da lei, de modo algum entrarão no Reino dos céus.
MATEUS 5.20

O Sermão do Monte resume a ética de Jesus. Descreve os valores que fundamentam o estilo de vida dos talmidim de Jesus de Nazaré. Mahatma Gandhi disse que, se todas as páginas sagradas da história da humanidade se perdessem e fossem preservadas apenas as páginas do Sermão do Monte, nada se teria perdido.

O Sermão do Monte apresenta de maneira clara e objetiva a interpretação que Jesus fazia da Lei de Moisés: "Vocês ouviram o que foi dito, mas eu lhes digo". As palavras de Jesus atravessaram os séculos oferecendo liberdade para todos quantos viviam oprimidos pelo peso da lógica da justiça retributiva e meritocrática da deteriorada religião de Israel. Nesses três capítulos do evangelho de Mateus encontramos a síntese da espiritualidade de Jesus. Mesmo correndo o sério risco de cometer um sacrilégio, ofereço quatro palavras para resumir o caminho espiritual de Jesus.

O caminho espiritual de Jesus é *interior*.

A espiritualidade de Jesus vai além do mero comportamentalismo moral. Ele requer de seus talmidim mais do que mera obediência a mandamentos e regras de boa conduta social. Quando interpreta o mandamento "não matarás", Jesus mergulha no mais profundo da intimidade de seus talmidim. Faz uma visita ao seu ódio. Assim também quando ele interpreta "não adulterarás", levando seus talmidim a encarar sua cobiça. Você pode não ter puxado o gatilho, mas, se guardou seu irmão num lugar chamado ódio em seu coração, é o equivalente a puxar o gatilho. Você não matou fisicamente mas, em seu coração, você o matou. Então não faz muita diferença se puxou ou não o gatilho. Odiar é uma forma de matar. Na interpretação de Jesus, a expressão "para mim, você morreu" implica a quebra do mandamento "não matarás".

Jesus recomenda aos seus talmidim que busquem a reconciliação, façam as pazes e se esforcem para se reaproximar daqueles que estão "mortos no coração". "Antes de entregar uma oferta para o meu Pai", diz Jesus, "vá buscar o seu irmão, vá ao encontro daquele que você matou, assassinou, dentro de sua alma. A minha espiritualidade não está preocupada apenas com a aparência do seu comportamento" (Mt 5.23-24).

Também a respeito do adultério, Jesus não se contenta com o que está na superfície dos relacionamentos. Ele argumenta que o olhar com desejo impuro é uma forma de adultério. O adultério pode não se consumar de fato, mas pode acontecer também na alma. Pode acontecer num castelo de fantasias, inclusive sexuais, construído na psique.

Jesus não condena a apreciação da beleza. Também não recrimina o desejo. A contemplação do belo e a experiência de desejar são evidências de saúde. Preocupante é a perda do desejo e a insensibilidade diante da beleza. O mundo criado por Deus é belo, e o desejo é a nossa resposta legítima à beleza que Deus imprimiu em sua criação.

O adultério na alma está além do desejo. Consiste na transferência do afeto para alguém que ocupa apenas nossa imaginação. Adulterar na alma é substituir a relação com uma pessoa concreta por uma relação fantasiosa na psique. O adultério na alma é um romance no mundo virtual da mente. Pode acontecer inclusive que a outra pessoa nem mesmo saiba quanto é desejada. Paradoxalmente, o adultério na alma é unilateral, é quando o mundo interior daquele que comete o adultério fica subjugado à dominação de uma fantasia. Entendo que, mais do que a dinâmica "olhar-apreciar-desejar", o adultério que Jesus condena é a escravidão "psico-emocional-espiritual" a um objeto de desejo ilegítimo, uma forma sutil de traição.

A espiritualidade de Jesus é interior. Ocupa-se não apenas do que você faz, mas também do que existe dentro de você, na sua subjetividade, no seu coração, na sua alma. Mas minha mãe me ensinou que "de boas intenções o inferno está cheio".

O caminho espiritual de Jesus é também *prático*.

Jesus encerra o Sermão do Monte com uma séria advertência: "Nem todo aquele que me diz: 'Senhor, Senhor' entrará no Reino dos céus, mas apenas aquele que faz a vontade de meu Pai que está nos céus" (Mt 7.21).

A espiritualidade de Jesus é uma espiritualidade de engajamento. Essa é uma das diferenças entre o caminho grego da filosofia nas categorias do platonismo e a tradição espiritual judaica que Jesus bem conhecia.

Jesus era judeu. Foi educado segundo a Lei e os Profetas. Cresceu no caminho da encarnação ética. Enquanto os gregos contemplavam e discutiam a natureza do ser, os profetas hebreus discutiam os direitos do órfão, da viúva e do estrangeiro. Discutiam ética na dinâmica da existência humana, no chão da vida. Por isso a espiritualidade de Jesus não se ocupa apenas da interioridade e da subjetividade motivacional. É também uma espiritualidade prática.

Mas, além de interior e prático, o caminho espiritual de Jesus é *relacional*.

Trata-se da espiritualidade do amor. Os antigos ensinaram a amar os amigos e odiar os inimigos. Mas Jesus diz que devemos ser perfeitos como é perfeito nosso Pai celestial, que "faz raiar o sol sobre maus e bons e derrama chuva sobre justos e injustos" (Mt 5.45). A perfeição que Jesus exige dos seus discípulos não é moral. Jamais alcançaríamos o padrão impecável da santidade de Deus. O que Jesus deseja é a busca de uma vida íntegra nas relações. Devemos ser perfeitos no amor: amar sem discriminação, amar tanto os justos quanto os injustos, tanto os bons quanto os maus.

Levinas desenvolve o conceito de que a ética nos interpela desde a face do nosso próximo. O amor pressupõe a existência de outro a quem respeitamos e a quem reconhecemos o direito. Por isso não podemos matar os outros, nem de fato, nem na alma.

Finalmente, além de interior, prática e relacional, a espiritualidade de Jesus é *teocêntrica*.

A espiritualidade de Jesus não gira ao redor do homem. Gira ao redor de Deus. Embora no mundo e em indissolúvel e inevitável relação com tudo e todos ao nosso redor, na dimensão última estamos de fato na presença de Deus. Nossa vida é um espetáculo para um público composto por uma só pessoa: Deus, nosso Pai celestial.

As recomendações de Jesus a respeito das chamadas obras de justiça, ou práticas piedosas, nos convocam à absoluta discrição: quando você for fazer suas orações, dar esmolas ou dedicar um dia ao jejum, preste atenção apenas em Deus. Não queira impressionar os outros. Não faça orações públicas usando palavras rebuscadas, não deixe sequer que sua mão esquerda saiba a caridade que a mão direita faz e não conte para os outros a intimidade das suas conversas com Deus.

Jesus recomenda que as orações sejam feitas no quarto, em segredo, a portas fechadas, para que somente o Pai celestial, que vê em secreto, dê a recompensa. Aqueles que vivem para agradar os outros e esperam ser recompensados por seus méritos cedo ou tarde acabam se perdendo em comportamentos morais falsos e hipócritas. Desenvolvem uma vida dupla, uma no mundo privado e outra na arena pública. Aos poucos vão perdendo a sensibilidade moral e passam a transgredir sem culpa, desde que ninguém esteja vendo ou que ninguém descubra o que está acontecendo "por debaixo dos panos".

Aqueles que vivem para "agradar o público de Um" cultivam a integridade desde a alma, e essa mesma inteireza de coração transborda na prática da piedade, especialmente nos relacionamentos pessoais do dia a dia.

A espiritualidade de Jesus é *interior*. É *prática*. É *relacional*. É *teocêntrica*. A espiritualidade de Jesus revelada no Sermão do Monte é um caminho de justiça que vai muito além da interpretação proposta pelos rabinos de sua época.

Jesus exige de seus discípulos uma justiça maior do que a dos escribas e fariseus. Chega a afirmar que aqueles cuja justiça não exceder a dos fariseus e mestres da Lei de modo nenhum entrarão no reino dos céus. Mais do que mero comportamento moral, que pode ser falso, pragmático e egoisticamente interesseiro, Jesus convida seus talmidim à perfeição do amor.

Casas

Portanto, quem ouve estas minhas palavras e as pratica é como um homem prudente que construiu a sua casa sobre a rocha. Caiu a chuva, transbordaram os rios, sopraram os ventos e deram contra aquela casa, e ela não caiu, porque tinha seus alicerces na rocha. Mas quem ouve estas minhas palavras e não as pratica é como um insensato que construiu a sua casa sobre a areia. Caiu a chuva, transbordaram os rios, sopraram os ventos e deram contra aquela casa, e ela caiu. E foi grande a sua queda.
Mateus 7.24-27

Jesus encerra o Sermão do Monte comparando o homem sábio com o construtor que edifica sua casa sobre um alicerce firme, e o tolo, que constrói sua casa na areia. A casa representa tudo quanto o discípulo vai se tornando enquanto segue seu mestre. Com essa comparação, Jesus adverte seus talmidim de que seu caminho exige comprometimento de fato, e não apenas da boca para fora.

A rocha é o alicerce sobre o qual o discípulo fundamenta toda a sua existência. Alguns estudiosos sugerem que essa rocha é a Torá, a Lei de Moisés, outros ainda que é a Torá conforme interpretada por Jesus, e a maioria afirma que a rocha é o próprio Jesus. Sugiro outra interpretação. A rocha é a obediência à palavra de Jesus: "quem ouve estas minhas palavras e as pratica é como um homem prudente que construiu a sua casa sobre a rocha" (Mt 7.24). A ênfase não está no ouvir, nem na palavra ouvida, mas em praticar. Ouvir e praticar a palavra de Jesus, isso sim é colocar a vida sobre um alicerce seguro.

Jesus não se impressiona com aqueles que invocam seu nome: "Nem todo aquele que me diz: 'Senhor, Senhor', entrará no Reino dos céus" (Mt 7.21). Também não se deixa enganar pelos que têm experiências místicas e/ou manipulam, ou são manipulados, por poderes espirituais: "Muitos me dirão naquele dia: 'Senhor, Senhor, não profetizamos nós em teu nome? Em teu nome não expulsamos demônios e não realizamos muitos milagres?'" (Mt 7.22).

Jesus reconhece como seu discípulo "apenas aquele que faz a vontade do meu Pai que está nos céus" (Mt 7.21). A palavra-chave do discipulado de Jesus é a obediência. Obedecer é imprescindível à participação no reino de Deus, porque se Adão é o ser humano que diz *não* para Deus, o novo homem, descendente de Jesus Cristo, é aquele que diz *sim*. A pretensão de participar do reino de Deus mantendo o próprio ego no controle da vontade é uma contradição. Quem se submete ao reinado de Deus evidentemente se compromete com a obediência a Deus.

O relacionamento entre Jesus e Pedro é um bom exemplo dessa dimensão da obediência no discipulado. Lucas, o evangelista, é quem nos conta a história:

Certa ocasião, ele estava na praia do lago de Genesaré, e a multidão se acotovelava para ouvir melhor a Palavra de Deus. Então, avistou dois barcos amarrados, deixados ali pelos pescadores, que lavavam as redes. Jesus entrou no barco que era de Simão e pediu ao discípulo que o afastasse um pouco da margem. Usando o barco como púlpito, sentado ele ensinava a multidão.

Quando acabou de falar, disse a Simão: "Vá para as águas profundas e lance a rede". Simão respondeu: "Senhor, pescamos a noite inteira e não pegamos nem um peixinho. Mas, se o senhor está mandando, vou lançar a rede". Dito e feito: eles pegaram tantos peixes que faltou pouco para arrebentar a rede. Foi preciso pedir ajuda aos companheiros do outro barco. Ainda assim, os dois barcos ficaram tão abarrotados de peixes que quase afundaram.

Lucas 5.1-7, A Mensagem

Essa história esclarece o significado da obediência. Diante da ordem de Jesus, Pedro age, dizendo: "Olha, eu sou pescador e conheço esse mar. Sei quando é o dia do mar e quando é o dia do pescador. Pesquei a noite toda, e não tive sucesso. A probabilidade de eu ter sucesso agora é quase nula, mas pela tua palavra vou lançar as redes. Não tenho razão alguma para lançar as redes, senão a tua palavra. Não tenho garantia alguma para o sucesso da pescaria, senão a tua palavra. Tenho inclusive argumentos que me deveriam impedir de lançar as redes. Mas a tua palavra prevalece".

Isso é obedecer. Obedecer é deixar-se carregar pela palavra de Deus.

Não importa se você entendeu, não importa se as circunstâncias são favoráveis, não importa se a probabilidade de sucesso é baixa. Não importa nada. O que importa é a palavra de Deus.

Aquele que obedece a Deus apenas quando entende a ordem ou concorda com ela, não é obediente, é sábio. Aquele cuja obediência a Deus ocorre apenas nas circunstâncias favoráveis ou quando as chances de sucesso são evidentes não é obediente, é oportunista.

Obediente é quem se submete à palavra de Deus mesmo sem entendê-la. Mesmo em circunstâncias desfavoráveis e adversas. Mesmo quando as probabilidades de êxito são contrárias. Obedecer implica adotar a palavra e a vontade de Deus como critérios últimos de ação. Obedecer é deixar-se carregar pela palavra de Deus.

Outra situação em que Pedro é obediente acontece num momento de tensão e pânico. Jesus caminha sobre as águas indo ao encontro dos discípulos, que estão num barco prestes a naufragar no meio de uma tempestade. Os discípulos estão tomados pelo medo. Quando percebem que alguém se aproxima do barco vindo sobre as águas, ficam apavorados, pensando se tratar de um fantasma. Mas Jesus trata de tranquilizá-los:

"Calma! Sou eu. Não tenham medo". Pedro, num ímpeto de coragem, pediu: "Mestre, se és tu mesmo, faça que eu vá até aí andando sobre a água também". Jesus disse: "Venha". Pedro pulou do barco e começou a caminhar sobre a água na direção de Jesus. Mas, quando ele olhou para baixo e viu as ondas batendo e fazendo barulho sob seus pés, sua tranquilidade se foi, e ele começou a afundar. "Mestre, salva-me!", gritou. Jesus foi rápido. Alcançou Pedro, segurou-o pela mão e o censurou: "Que homem sem coragem! O que aconteceu com você?". Os dois subiram no barco, e o vento acalmou.

Mateus 14.27-32, A Mensagem

O famoso teólogo alemão Dietrich Bonhoeffer disse que Pedro não poderia andar sobre as águas se Jesus não o tivesse chamado para fora do barco. Pedro disse: "Mestre, manda que eu vá ao teu encontro, e eu vou". Jesus atende ao pedido de Pedro: "Venha, se você também quer andar sobre as águas, venha até aqui". Talvez os outros discípulos não acreditassem que Pedro tivesse coragem para sair do barco. Mas Pedro pulou do barco e foi ao encontro de Jesus. Não apenas porque era um homem corajoso. Mas porque era um homem obediente.

A obediência é o segredo do discipulado de Jesus. Obedecer é deixar-se carregar pela palavra de Deus. Eu não me atrevo a sair do barco se Jesus não disser "Saia do barco". Ele não é obrigado a bancar minhas loucuras, realizar meus desejos, satisfazer meus anseios e me manter em pé quando eu quiser andar sobre as águas.

Quando o Diabo tentou Jesus dizendo "Pule do alto do pináculo do templo, Deus não vai deixar você se espatifar lá em baixo. Assim que você pular ele vai enviar os anjos para socorrer você", Jesus respondeu sem pestanejar: "Não tenha a ousadia de testar o Senhor seu Deus" (Mt 4.7, A Mensagem).

Jesus estava dizendo algo como "Eu não ando motivado pelas minhas vontades, pelos meus anseios e nem preciso me exibir ou demonstrar que sou filho de Deus. Eu ando em obediência à palavra de Deus. Eu só pulo daqui se Deus mandar".

Pedro aprendeu com Jesus: "Eu só saio do barco se Jesus mandar. E, se Jesus mandar, não importa se as circunstâncias são favoráveis ou não, se a chance de dar certo é grande ou pequena. Ele mandou, eu obedeço".

ORAÇÃO

Pai nosso, que estás nos céus! Santificado seja o teu nome. Venha o teu Reino; seja feita a tua vontade, assim na terra como no céu. Dá-nos hoje o nosso pão de cada dia. Perdoa as nossas dívidas, assim como perdoamos aos nossos devedores. E não nos deixes cair em tentação, mas livra-nos do mal, porque teu é o Reino, o poder e a glória para sempre. Amém.

MATEUS 6.9-13

As orações que na antiguidade os mestres espirituais ensinavam a seus discípulos eram não apenas uma expressão de devoção, mas também e principalmente uma declaração do que hoje chamamos de "cosmovisão". Em suas orações, os mestres espirituais afirmavam como enxergavam a Deus, a si mesmos e a seu papel no mundo.

A oração do pai-nosso ensinada por Jesus sintetiza suas convicções mais essenciais. O evangelho de Jesus é a boa notícia da chegada do reino de Deus, que confronta o império de César, o imperador romano. O reino de Cristo em oposição ao reino de Adão. O reino construído na base da rebelião do primeiro homem, que disse *não* para Deus, e o reino construído sobre o fundamento da submissão do segundo homem, Jesus Cristo, que disse *sim* para Deus, o Pai.

A oração do pai-nosso também poderia ser chamada "a oração do discípulo do reino de Deus". A oração proferida pelo ser humano feito à imagem de Jesus, o Cristo, e que vive sob o reinado de Deus em oposição a Adão, o rebelde, que vive no "reino do eu".

A oração do pai-nosso explica as grandes demandas do coração humano e também as grandes questões que ocupam o coração de Deus em relação ao ser humano.

Teilhard de Chardin disse que "não somos seres humanos que têm uma experiência espiritual, somos seres espirituais passando por uma breve experiência humana". A oração é para a dimensão humana espiritual o que respirar é para o homem físico. A oração faz a síntese entre os céus e a terra. Invocar o "Pai nosso que estás nos céus" é integrar a realidade visível e invisível, unificar o ambiente onde existimos como seres que não se esgotam na dimensão física e material.

Orar é uma experiência de fé, própria de quem sabe que as coisas que existem e podem ser vistas foram feitas e se sustentam em coisas que existem, mas são invisíveis (Hb 11.3). Orar é participar da realidade que chamamos de espiritual. Orar é acessar esse mundo que "existe mas não pode ser visto", o mundo que está além das possibilidades dos sentidos físicos. O mundo que chamamos transcendente, que representamos com a expressão "céus", em paralelo ao mundo da imanência, que representamos com a palavra "terra".

Invocar o "Pai nosso" em oração necessariamente nos livra da solidão e nos inclui na comunidade de todos os filhos e filhas de Deus. O Pai nosso que está nos céus é aquele que dá "nome a toda família humana, nos céus e na terra" (Ef 3.15). Dar nome é o mesmo que dar e sustentar a vida de toda a humanidade. Não é possível orar sem se solidarizar com a raça humana. Orar é abandonar as fronteiras do reino do eu. Adão não ora. Está ocupado apenas consigo, com o seu próprio umbigo, e quer o pão apenas para si.

O ser humano segundo a ordem de Adão é um ego que pretende ser absoluto. É o homem em rebelião contra Deus. Pretende ser o centro do universo. Deseja que o mundo gire ao seu redor. E não dá espaço para mais ninguém. A oração é não apenas "uma conversa com Deus", mas também o caminho da comunhão, da interdependência, das relações com outros humanos a quem chamam de próximo, ou na verdade irmãos.

Quando oramos o pai-nosso nos integramos não somente a Deus, mas à raça humana. Eu e o meu próximo somos um. Vivemos uma unidade. O Pai é nosso. O pão é nosso. O perdão é nosso.

O perdão é o fluxo constante da generosidade de Deus, que nos concede não apenas a existência, mas o direito de continuar a existir, mesmo aquém de sua perfeição divina, ou mesmo aquém da sujeição perfeita à vontade de Deus.

A cosmovisão cristã implica a lógica de que fora de Deus nada há. Deus nos chama a existir significa que Deus nos chama do nada ao ser. Nas palavras de Paulo, apóstolo, Deus "chama à existência as coisas que não existem, como se existissem" (Rm 4.17). Viver em estado de rebelião contra Deus é escolher voltar ao nada, optar por deixar de existir. Mas Deus nos mantém vivos. O perdão de Deus é um ato primeiro de Deus, antes mesmo da criação. Isso explica por que a Bíblia Sagrada afirma que a cruz de Cristo é conhecida desde antes da criação do mundo (Ap 13.8). Há quem diga que "antes de dizer 'haja luz', Deus disse 'haja cruz'". Todo o universo se sustenta no sacrifício de Deus em favor de sua criação.

Interromper o fluxo do perdão é sabotar o princípio de sustentação da vida. A raça humana vive porque Deus, que poderia devolvê-la ao nada, escolheu outorgar-lhe seu perdão, isto é, não levar em conta sua rebelião, abrir mão de cobrar sua ofensa à justiça que permite a existência sustentável. O perdão é a provisão de Deus para manter em vida aquilo que perdeu o direito de ser e existir. O que Deus fez com a raça humana toda a raça é convidada a fazer por si mesma. Perdoar é sustentar a vida.

A oração do pai-nosso nos liberta da solidão. Mas também nos liberta da pretensão. Orar é reconhecer a absoluta distinção entre Deus e o homem. É dar ao nome de Deus o valor que lhe é devido. É reconhecer que nada e ninguém se compara a ele e pode pretender ocupar seu lugar. Orar a Deus é suplicar e agir para que "santificado seja o teu nome".

O reconhecimento da supremacia de Deus nos leva à submissão voluntária à sua vontade. Tomar consciência de Deus e tomar consciência de si são experiências concomitantes. Então oramos "seja feita a vontade de Deus, assim na terra como no céu". Quando oramos assim, abrimos mão de tentar fazer o mundo funcionar segundo nosso entendimento e mesmo segundo nossas forças e nossos recursos.

A finitude humana indica não apenas que o homem é mortal, que sua vida tem fim, que um dia vai morrer. A finitude humana é a afirmação irrefutável de que o ser humano não é autoexistente, não sustenta a própria vida e, portanto, não pode sustentar a vida e a dinâmica vital do universo. Por isso é que suplica ao "Pai nosso que está nos céus". Clama àquele que está além da morte, antes e fora do tempo. Suspira pelo favor do Eterno. Admitindo sua impossibilidade de manter o universo nas mãos, abre mão do controle e se submete a Deus: "seja feita a tua vontade, não a minha".

Adão não ora. Deseja apenas que "seja feita a minha vontade, não a tua". Adão é prepotente. Iludido com sua condição, promove a desestabilização de tudo o que é e está. Orar é combater o caos. É suplicar a intervenção de Deus e cooperar com ela. Orar é um ato de rendição a Deus e de engajamento na participação pela realização de sua vontade.

Orar para que a vontade de Deus "seja feita na terra como no céu" exige o compromisso de exercer domínio sobre a criação — fazer história, construir sociedades, cuidar do mundo natural criado — segundo a vontade de Deus. O universo não é nosso. O mundo é uma dádiva. Somos cuidadores do mundo de Deus. Nesse sentido somos também participantes na obra criadora de Deus sempre que exercemos sobre o universo um domínio alinhado à vontade de Deus. O contrário implica ato de usurpação, tirar Deus do centro do seu universo, o que resulta no caos. A competição das vontades autônomas em relação a Deus promove desintegração e morte. O alinhamento das vontades à vontade de Deus sustenta a vida de maneira harmônica e bela.

O universo de Deus é o ambiente perfeito para a existência humana plena. No mundo de Deus, segundo a vontade de Deus, o ser humano encontra satisfação e realização. O paraíso é símbolo da integração entre céus e terra, Deus e o homem em comunhão e cooperação, o mundo cuidado como casa comum para a raça humana.

Orar "o pão nosso de cada dia nos dá hoje" implica o reconhecimento de que a plenitude da satisfação dos desejos e apetites humanos está no pão que é concedido por Deus.

A Bíblia Sagrada diz que Deus "pôs no coração do homem o anseio pela eternidade" (Ec 3.11). Isso significa que os desejos do coração humano estão além do que pode ser mensurado. As coisas que podem ser contadas e medidas não são suficientes para encher o coração do homem. Mais pão, mais sapatos, mais viagens, mais romances, mais diplomas, mais saúde, mais isso, mais aquilo não são suficientes para que o coração do homem fique satisfeito. O rabino Harold Kushner disse que "tudo não é o bastante". As famosas expressões de Dostoiévski e Agostinho resumem essa verdade. O coração do homem tem um vazio do tamanho de Deus e, por essa razão, vai bater inquieto até descansar em Deus.

Enquanto vivemos neste mundo, a satisfação será sempre incompleta. O máximo possível de prazer está na capacidade de desfrutar aquilo que recebemos das mãos de Deus. Nada daquilo que eu tomo para mim sem o direito de possuir pode me satisfazer. O que tenho comigo porque usurpei, porque roubei, porque me aproveitei ilicitamente de uma oportunidade, porque pratiquei um ato de injustiça e causei dano a meu próximo será sempre maldição em minha vida. Tudo quanto extraí do universo agindo segundo a ordem da rebelião, agindo conforme o modelo de Adão, nada disso me satisfaz.

Apenas o que recebo das mãos de Deus pode ser suficiente. A consciência de que Deus é aquilo de que minha alma tem fome me esclarece que tudo quanto preciso é o que de Deus mesmo recebo como dádiva. E o que é dádiva é para ser desfrutado em comunhão. O pão que se come sozinho não mata a fome, nem do corpo e nem da alma. O pão que mata a fome é o pão que se come na mesa da partilha.

A mesa comum é aberta a todos. A generosidade de Deus, que convive com pessoas que não têm virtudes em si mesmas e estão aquém de sua perfeição, é um convite constante ao caminho da misericórdia e da compaixão. Quem exige perfeição de seus pares para manter a relação, a amizade, vai acabar na solidão. Quem deseja partilhar a mesa apenas com pessoas perfeitas não terá companhia para o jantar. A mesa do pão nosso é servida pelo perdão.

Eis as razões suficientes para que a oração inclua o pedido a Deus para que "não nos deixes cair em tentação mas livra-nos do mal [Maligno]". A pior coisa que o Maligno pode fazer contra mim é transformar-me num maligno semelhante a ele. Cair em tentação é seguir o caminho de Adão. Dar as costas a Deus, acreditar na mentira de que o ser humano é autoexistente e autossuficiente, o que resulta na vida egocêntrica, prepotente e egoísta. Cair em tentação é dar passos na direção de se tornar cada dia mais semelhante ao Maligno.

Fomos criados à imagem e semelhança de Deus. Na origem da existência humana está a semelhança com Deus. Fomos chamados à "comunhão com seu Filho Jesus Cristo, nosso Senhor" (1Co 1.9). Fomos chamados por Deus a abandonar a mesa do rebelde Adão, dizer *não* às ofertas do Maligno, romper com o modelo de existência definido pela prática do mal. Agora somos filhos do nosso Pai que está nos céus, o nome de Deus é santificado em nossa vida, dizemos *sim* à vontade de Deus, que é boa, agradável e perfeita, partilhamos o pão e o perdão que são nossos. Pois já não vivemos mais no "reino do eu". Sabemos que a Deus pertencem o reino, o poder e a glória para todo o sempre. Amém.

$ $ $

> *Não acumulem para vocês tesouros na terra, onde a traça e a ferrugem destroem, e onde os ladrões arrombam e furtam. Mas acumulem para vocês tesouros nos céus, onde a traça e a ferrugem não destroem, e onde os ladrões não arrombam nem furtam. Pois onde estiver o seu tesouro, aí também estará o seu coração. Os olhos são a candeia do corpo. Se os seus olhos forem bons, todo o seu corpo será cheio de luz. Mas se os seus olhos forem maus, todo o seu corpo será cheio de trevas. Portanto, se a luz que está dentro de você são trevas, que tremendas trevas são! Ninguém pode servir a dois senhores; pois odiará um e amará o outro, ou se dedicará a um e desprezará o outro. Vocês não podem servir a Deus e ao Dinheiro.*
> MATEUS 6.19-24

Dinheiro é um assunto altamente espiritual. Jesus falou mais sobre dinheiro do que sobre salvação, fé e céu. Poucos temas ocuparam tanto os discursos de Jesus quanto o dinheiro. O amor ao dinheiro é a raiz de todos os males (1Tm 6.10). Dessa afirmação do apóstolo Paulo alguns dizem que o dinheiro é neutro, o problema está no amor a ele. Mas creio que Jesus não concorda com essa interpretação.

Neutro é um copinho de plástico usado. Ninguém, a menos que sofra do transtorno de acumular lixo, passa por um copinho no chão, olha para os lados, pisa em cima e se abaixa para pegar e guardar no bolso ou na bolsa. A maioria das pessoas pegaria o copinho para jogá-lo no lixo, ato educado de civilidade. O copinho não fala com a gente. Não apela aos nossos desejos. Não nos interpela pedindo para ser pego. Não suscita vontades. Não nos afeta. O copinho é neutro.

Coisa completamente diferente acontece quando alguém enxerga uma nota de 100 reais no chão. O primeiro impulso é pegar e guardar para si, agradecendo a Deus a boa sorte ou a bênção inesperada pelo achado. Uma nota de dinheiro nos interpela, fala com a gente. Você não pode fazer nada com um copinho usado, exceto descartá-lo. Mas você pode fazer muita coisa com uma nota de 100 reais. Essa é a diferença: com o dinheiro você pode; ele confere poder.

Assim como o dinheiro, existem outras coisas que nos conferem poder. A Bíblia chama essas coisas de "potestades". E, por nos dar poder, são perigosas. Porque são sedutoras. Por exemplo, quem tem muita beleza pode algumas coisas que quem não tem beleza não pode. Quem tem muita inteligência, muito conhecimento, muita informação ou muitos amigos e pessoas influentes com quem se relaciona pode coisas que as pessoas desprovidas desses recursos não podem.

As potestades, coisas que nos conferem poder, são perigosas. Enquanto lidamos com elas estamos constantemente lutando para saber quem controla quem, quem é senhor de quem. O dinheiro precisa ser subjugado, para que não nos domine. Diz a sabedoria popular que "o dinheiro é um ótimo escravo e um péssimo patrão". O apóstolo Paulo adverte que:

> Os que querem ficar ricos caem em tentação, em armadilhas e em muitos desejos descontrolados e nocivos, que levam os homens a mergulharem na ruína e na destruição, pois o amor ao dinheiro é a raiz de todos os males. Algumas pessoas, por cobiçarem o dinheiro, desviaram-se da fé e se atormentaram com muitos sofrimentos.
>
> 1 Timóteo 6.9-10

Jesus manda seus talmidim tomarem cuidado com as riquezas: "Cuidado com o dinheiro. Se você se descuidar, vai acabar se tornando escravo dele. E, quando você se torna escravo do dinheiro, o dinheiro deixa de ser dinheiro e se torna um deus. Ele se torna um ídolo, uma potestade que atende pelo nome de Mamon". Mamon é dinheiro elevado à categoria de deus. Mamon é rival de Deus, o nosso Pai que está nos céus. Quando o dinheiro se torna deus, passa a fazer exigências, reivindicar lealdade, ditar regras, determinar prioridades. Mamon faz propostas, cobra posturas, exige decisões. Mamon é tão poderoso que pode até mesmo determinar a identidade de seus fiéis. Por isso Jesus deixa claro: "Vocês não podem servir a Deus e a Mamon".

Como podemos subjugar o poder do dinheiro para que ele não se torne Mamon? Como podemos fazer que o dinheiro seja nosso escravo, e não nosso patrão? As parábolas e conversas de Jesus nos ajudam a responder essas perguntas. O "manual de finanças" de Jesus pode ser resumido em quatro palavras: doar, transformar, restituir e multiplicar.

A um jovem rico que o procurou perguntando "que farei para herdar a vida eterna?", Jesus recomendou: "venda tudo o que você possui e dê o dinheiro aos pobres" (Lc 18.18-30). O dinheiro não é o deus de todas as pessoas. Existem muitos outros deuses falsos, ídolos escravizantes, além do dinheiro. Mas o jovem rico era escravo de Mamon. Ele não possuía riquezas, era possuído por elas. Jesus mandou que ele abrisse mão de tudo para que, liberto das garras de Mamon, recuperasse o controle de sua vida.

Jesus conta a parábola do rico louco:

> A terra de certo homem rico produziu muito. Ele pensou consigo mesmo: "O que vou fazer? Não tenho onde armazenar minha colheita". Então disse: "Já sei o que vou fazer. Vou derrubar os meus celeiros e construir outros maiores, e ali guardarei toda a minha safra e todos os meus bens. E direi a mim mesmo: Você tem grande quantidade de bens, armazenados para muitos anos. Descanse, coma, beba e alegre-se". Contudo, Deus lhe disse: "Insensato! Esta mesma noite a sua vida lhe será exigida. Então, quem ficará com o que você preparou?".
>
> Lucas 12.16-20

Dessa vez Jesus recrimina aqueles que guardam as riquezas apenas para si. Doar é uma expressão da consciência de que o dinheiro que temos não é somente nosso, mas um recurso para abençoar o maior número possível de pessoas. Todo dinheiro retido egoisticamente acaba explodindo na cara de quem o possui, ou pensa que o possui, quando na verdade é possuído por ele. Quem retém apenas para si trai o propósito de Deus de distribuir suas riquezas. Olho para o meu dinheiro não como sendo meu, mas como de fato é, de Deus, aos meus cuidados para abençoar o maior número possível de pessoas.

A parábola chamada "do administrador astuto" é uma das histórias mais interessantes contadas por Jesus. Fala de um homem que foi negociar as dívidas que as pessoas tinham com o seu patrão. Dos que deviam 100 potes de azeite, o administrador aceitava pagamento de 50 potes. Dos que deviam 100 tonéis de trigo, aceitava 80. E assim por diante. Entendo que Jesus elogia o "administrador astuto" ao afirmar que ele foi capaz de usar "a riqueza deste mundo ímpio para ganhar amigos" (Lc 16.1-13).

Um bom administrador cumpre suas atribuições, dentro da autonomia que lhe é concedida. Ao cobrar os devedores do seu patrão, o administrador fez uso de sua margem e aproveitou para conquistar amigos. Talvez daí venha o adágio popular "melhor é ter amigos na praça que dinheiro no banco". Jesus ensina seus talmidim que uma das formas de nos libertarmos de Mamon é transformar o dinheiro em riquezas mais valiosas.

O encontro de Jesus com Zaqueu nos traz a lição da restituição. Zaqueu era um judeu que trabalhava para Roma cobrando os impostos dos patrícios. Abusava de seu poder e dos privilégios de sua função para extorquir, cobrar mais do que era devido, e assim enriqueceu ilícita e desonestamente. Mas quando recebeu Jesus em sua casa decidiu restituir a todos a quem havia prejudicado: "Olha, Senhor! Estou dando a metade dos meus bens aos pobres; e se de alguém extorqui alguma coisa, devolverei quatro vezes mais" (Lc 19.8). Jesus respondeu, dizendo: "Hoje houve salvação nesta casa!" (Lc 19.9). Zaqueu era escravo de Mamon. Sua decisão de restituir àqueles a quem havia prejudicado foi um ato de sua própria libertação.

Quando não é possível restituir diretamente àqueles cujos bens foram usurpados, podemos nos desfazer dos recursos doando aos pobres. Essa é a única maneira legítima de "lavar dinheiro": usá-lo para fazer o bem. Lavar dinheiro é destiná-lo à finalidade para a qual existe: promover e defender a vida humana do modo mais abrangente possível.

Caso tenha dinheiro sujo no bolso ou na bolsa, lave rápido para que se torne dinheiro limpo: devolva-o à origem ou, se já não for possível, distribua aos pobres. Dinheiro sujo é bomba de tempo. Cedo ou tarde ele acaba explodindo e machucando quem está em volta. Mamon não tem escrúpulos. Como todo falso deus, cobra alto preço pelos aparentes benefícios que proporciona.

Jesus ensina ainda outro caminho para quebrar o encanto de Mamon. Na parábola dos talentos (Mt 25.14-30), conta a história de um homem que, ao sair de viagem, chamou os servos e confiou-lhes seus bens. A um deu cinco talentos, a outro dois e a outro um; a cada um de acordo com a sua capacidade. O que havia recebido cinco talentos ganhou mais cinco, e igualmente o que tinha dois talentos ganhou mais dois. Mas o que tinha recebido um talento teve medo e escondeu-o no chão.

Jesus aprova aqueles que colocaram as riquezas em circulação e a multiplicaram, mas o homem que deixou sua riqueza parada foi punido severamente. Enterrar talento é tirar riqueza de circulação. Riqueza parada começa a diminuir. Toda riqueza deve ser multiplicada.

Abrir mão do dinheiro quando ele ocupa lugar indevido no coração, restituir o dinheiro que não nos pertence, transformar dinheiro em riquezas maiores, partilhar e fazer circular o dinheiro para que gere mais riquezas em benefício coletivo são, a meu ver, as recomendações de Jesus para quem deseja viver livre da tirania do deus Mamon.

O dinheiro não é neutro. Aquilo que dá poder nunca é neutro.

Coloque sob seus pés o que lhe dá poder, incluindo seu dinheiro. Use-o, não se deixe usar por ele. Abençoe pessoas com a riqueza que você tem. Não retenha seus bens apenas para si. Esse é o caminho recomendado por Jesus: ajuntar tesouros nos céus. Quem tem tesouros no céus não teme perdê-los, porque nos céus estão inacessíveis às traças e aos ladrões. Na terra, retidos egoisticamente, estão os tesouros vulneráveis, que podem escapar entre os dedos, podem ser usurpados e roubados, corroídos pelo tempo e comidos pelos bichos. Quando usados para as finalidades pretendidas por Deus, ao doá-los, estão bem guardados. Estão nos céus.

Reino

15 Talmidim52

*Jesus foi por toda a Galileia, ensinando nas sinagogas
deles, pregando as boas novas do Reino.*
Mateus 4.23

Uma das crenças mais simplórias a respeito da vida após a morte que já cultivei foi a ideia de que o critério de entrada no céu seria a adesão intelectual às afirmações feitas pela tradição do cristianismo protestante evangélico anglo-americano. Durante muitos anos acreditei que o evangelho de Jesus se resumia a "aceitar a Jesus como Salvador", e que isso era suficiente para garantir que eu iria para o céu, e não para o inferno, após a minha morte. Com o passar dos anos fui percebendo que essa crença era equivocada e que eu havia feito um resumo caricato de tudo quanto o protestantismo afirma a respeito da mensagem de Jesus. Percebi que minha crença restrita ao dualismo céu *versus* inferno e a diminuição de Jesus ao *status* de um homem morto na cruz para me salvar do inferno tornavam Deus, Jesus, o Espírito Santo, o Evangelho e até mesmo o céu pequenos demais.

A essência da mensagem de Jesus não foi o céu. O evangelho, isto é, a boa notícia de Jesus, trata do reino de Deus. Além disso, quando prestamos atenção nas palavras de Jesus, percebemos que ele praticamente não fala do céu, e muito menos do céu como uma experiência após a morte. Jesus anuncia o reino de Deus como uma experiência possível já a partir de agora. O reino de Deus como algo que abraçamos e experimentamos antes mesmo da nossa morte.

Em sua conversa com o erudito judeu Nicodemos, Jesus diz que "ninguém pode ver o Reino de Deus, se não nascer de novo" (Jo 3.3). Jesus não está tentando convencer Nicodemos a abraçar alguma verdade para que possa ir para o céu após a morte. Está apresentando o reino de Deus como experiência imediata, aqui e agora.

A oração que Jesus ensinou aos seus talmidim diz "Pai nosso, que estás nos céus! Santificado seja o teu nome. Venha o teu Reino; seja feita a tua vontade, assim na terra como no céu" (Mt 6.9,10). O reino de Deus é tudo o que Deus cria, sustenta e possui. Mas não apenas isso. O reino de Deus é principalmente o reinado de Deus, isto é, o ambiente onde a vontade perfeita de Deus é realizada.

Adão é chamado de "primeiro homem", e Jesus é chamado de "segundo homem". O primeiro homem diz a Deus "seja feita a minha vontade". O segundo homem nos ensina a orar dizendo "seja feita a tua vontade". A participação no reino de Deus implica a submissão à vontade de Deus. Uma submissão que começa dentro do coração: "o reino de Deus está dentro de vós", uma das traduções possíveis para Lucas 17.21 (RA). Quando submetemos nossa vontade à vontade de Deus, o reinado de Deus se estabelece em nós. Participar do reino de Deus é viver sob o reinado de Deus. Isso é uma experiência pessoal.

Mas o reino de Deus também está fora de mim. Além de pessoal, dentro de mim, o reinado de Deus é uma realidade externa a mim, no mundo ao meu redor. Naquele sábado, quando Jesus estava lendo as Escrituras na sinagoga de Nazaré, citou o profeta Isaías: "O Espírito do Senhor está sobre mim, porque ele me ungiu para pregar as boas novas aos pobres. Ele me enviou para proclamar liberdade aos presos e recuperação da vista aos cegos, para libertar os oprimidos e proclamar o ano da graça do Senhor" (Lc 4.18-19).

Ao terminar sua leitura, afirmou categoricamente: "Hoje se cumpriu a Escritura que vocês acabaram de ouvir" (Lc 4.21). Jesus estava dizendo que Deus lhe havia concedido autoridade, poder e autorização para agir e falar em seu nome. Deus estava reinando através de Jesus Cristo. O reinado de Deus estava presente em Jesus. Esse é o primeiro significado de o reino de Deus chegou (Mc 1.15).

Depois de sua anunciação profética em Nazaré, Jesus sai para demonstrar a presença histórica e imediata do reino-reinado de Deus. Jesus reina sobre o universo natural: anda sobre as águas, acalma tempestades, cala os ventos, faz a chuva cessar, transforma água em vinho, multiplica pães e peixes, e cura todo tipo de enfermidades. Jesus revela seu absoluto domínio sobre os elementos da natureza.

Jesus exerce domínio também sobre o universo sobrenatural. Ele manda e os espíritos malignos obedecem. Os exorcismos realizados por Jesus são demonstrações de seu poder e de sua autoridade para reinar: "se é pelo dedo de Deus que eu expulso demônios, então chegou a vocês o Reino de Deus" (Lc 11.20). Ao ressuscitar pessoas, Jesus exerce seu poder e autoridade também e inclusive sobre a morte (Mc 5.21-43; Jo 11.1-45). Todas esses chamados milagres são evidências da presença do reino de Deus no mundo ao redor de Jesus.

O reino de Deus é tudo que Deus cria, sustenta e possui, e também o ambiente onde a vontade de Deus é realizada. O reino de Deus tem essa dimensão interior e exterior, está tanto dentro de nós quanto ao nosso redor.

Além dessas características dimensionais, "dentro e fora", o reino de Deus pode ser compreendido a partir de seus aspectos cronológico-temporais: o reino de Deus já está presente, mas ainda não está consumado. O reino de Deus é "já e ainda não". O reino de Deus é uma realidade inaugurada. Dizem os teólogos intérpretes do Novo Testamento que o reino de Deus já chegou na pessoa de Jesus. Deus interfere, age, manifesta a sua autoridade e exerce a sua vontade perfeita na história e na vida das pessoas que se submetem a essa vontade, e isso significa que o reino de Deus está presente, está aqui, é agora.

Mas o apóstolo João diz que "somos filhos de Deus, e ainda não se manifestou o que havemos de ser"(1Jo 3.2). Paulo, apóstolo, diz que já recebemos o Espírito Santo e já estamos colhendo os primeiros frutos do reino de Deus, mas ainda não desfrutamos plenamente a vontade de Deus, e por essa razão ainda gememos, aguardando nossa completa redenção (Rm 8.18-23). Em sua carta aos colossenses, Paulo diz que os poderes espirituais da maldade já estão derrotados, e seus exércitos, vencidos e despojados, com as armas ao chão (Cl 2.15). Mas ainda não estamos totalmente livres do diabo, o inimigo que "anda ao redor como leão, rugindo e procurando a quem possa devorar" (1Pe 5.8).

A morte já está vencida com a ressurreição de Jesus, mas a morte humana ainda não foi completamente equacionada. Nós também aguardamos a ressurreição. Esperamos o dia em que cantaremos nossa vitória sobre a morte (1Co 15.55).

Essas são algumas das expressões do Novo Testamento que falam do reino de Deus como uma realidade já presente, mas ainda não consumada. Baseado nessas revelações da palavra de Deus, John Stott, teólogo inglês, disse que os cristãos se dividem em pelo menos três grupos: os pessimistas sombrios, os triunfalistas iludidos e os realistas engajados.

Porque o reino de Deus ainda não está consumado, algumas pessoas tendem a acolher o infortúnio da experiência humana e a se resignar diante do sofrimento. Esquecem todas as possibilidades inerentes ao fato de que o reino de Deus "já está entre nós", colocam toda a ênfase de sua experiência espiritual no "ainda não" e passam a vida à espera da morte, quando então desfrutarão do céu. Esses são os pessimistas sombrios.

Existem outros, entretanto, que carregam a tinta no fato de que o reino de Deus "já está presente", passam a repetir que "Jesus já levou sobre si as nossas enfermidades" e "já venceu a morte", o que é verdade, e vivem como se todas as coisas já estivessem resolvidas ou pudessem ser resolvidas aqui e agora. Acreditam que já podemos tudo aqui nessa vida e se esquecem de que o reino de Deus é também "ainda não". Esses são triunfalistas iludidos.

Interpretar "tudo posso naquele que me fortalece" (Fp 4.13) sem levar em conta que o apóstolo Paulo está afirmando poder enfrentar tempos de fartura e prosperidade (o reino de Deus já) e também tempos de escassez e necessidade (o reino de Deus ainda não) é no mínimo desatenção ou ignorância e desonestidade intelectual mesmo.

Afirmar que "podemos tudo" é demais. Acreditar que "podemos nada" é de menos. Além dos pessimistas sombrios e dos triunfalistas iludidos, existem os realistas engajados. Não podemos tudo, mas podemos muita coisa. Podemos muito mais do que nada.

O reino de Deus está presente, pois as hostes espirituais da maldade já estão vencidas na cruz do calvário, o Espírito Santo já está derramado sobre toda terra, o poder da ressurreição já é presente na história. Essas convicções nos animam ao engajamento como cooperadores de Deus na obra da redenção aqui e agora. A realidade presente do reino de Deus nos anima a lidar com todas as limitações da vida humana e a combater a morte em todas as suas manifestações, sejam pessoais e individuais, ou coletivas e sociais. Sejam elas físicas, psíquicas, emocionais ou espirituais. Não importa onde a morte manifesta a sua face cruel, os realistas engajados vamos combatê-la no poder da ressurreição.

Não podemos tudo, mas podemos muita coisa. Podemos muito mais do que nada. Arregaçamos as mangas e nos juntamos a Jesus nesta realidade presente do reino de Deus, enquanto aguardamos a consumação do reino de Deus.

Que Deus nos livre de ser pessimistas sombrios "com a boca escancarada e cheia de dentes, esperando a morte chegar". Que Deus nos dê lucidez para não nos tornarmos triunfalistas iludidos, esquecidos de que não é aqui o lugar do nosso descanso (Hb 4.9). Que nos dê coragem para sermos realistas engajados, que vivem buscando em primeiro lugar o reino de Deus e a sua justiça (Mt 6.33). Amém.

Milagres

> *Jesus realizou na presença dos seus discípulos muitos outros sinais milagrosos, que não estão registrados neste livro. Mas estes foram escritos para que vocês creiam que Jesus é o Cristo, o Filho de Deus e, crendo, tenham vida em seu nome.*
> João 20.30-31

Os milagres são o selo de autenticidade da identidade messiânica de Jesus. Os milagres testificam que de fato Jesus é quem diz que é: Filho de Deus, Messias, Salvador do mundo.

O senso comum acredita que os milagres provam e demonstram a divindade de Jesus. Mas isso não é verdadeiro. Jesus não fez milagres porque era Deus. Jesus fez milagres porque era o homem perfeitamente submisso a Deus. Para entender isso, precisamos voltar ao Gênesis.

Deus criou o homem, macho e fêmea, à sua imagem e semelhança, delegou-lhe a responsabilidade de cuidar de toda a criação e deu-lhe autoridade para exercer domínio não apenas sobre todos os elementos da natureza criada, como também sobre todos os seres vivos que habitam a face da terra. Mas o homem acreditou que poderia exercer domínio, poder e autoridade sobre a criação à custa de seu compromisso e vínculo de submissão ao Criador e Senhor do universo.

O princípio teológico da "solidariedade da raça" considera que Adão é também você e eu. Adão não é "ele", Adão é "nós". Em Adão também dissemos a Deus: "Ok, obrigado, você me criou à sua imagem e semelhança. Você me deu o universo para cuidar. Daqui pra frente eu resolvo. Não preciso da sua ajuda e da sua interferência. Deixa comigo, eu cuido disso do meu jeito, na minha força. Sou suficientemente sábio e capaz de cuidar do mundo".

Foi um engano. Deus havia dito a Adão muito claramente: "No dia em que você pretender ocupar o meu lugar, ou acreditar que pode ser igual a mim, nesse dia você vai morrer. No dia em que acreditar que pode sobreviver independente de mim e reivindicar sua autonomia em relação a mim, nesse dia você vai morrer. Nada existe ou subsiste, nada sobrevive sem que receba de mim a condição de ser e existir. Pois somente EU SOU. Tudo o mais vive de favor. Do meu favor. Da minha vida doada e partilhada. Fora de mim nada é e nada há".

O que chamamos de "pecado original" é a pretensão que a criatura tem de existir como se fosse autossuficiente, viver como se não derivasse sua vida do Criador. Em outras palavras, o "pecado original" é a ilusão de pretender ser igual a Deus: autoexistente, autossuficiente, autodeterminado e incondicionado.

Adão pulou para fora de Deus, em direção ao nada. Mas Deus o manteve vivo. E com ele toda a raça humana. E Deus fez algo mais. A segunda das três pessoas divinas "se esvaziou e se fez semelhante aos homens". Primeiro, Deus faz o homem semelhante a si. Depois, se faz semelhante ao homem. Em Jesus, Deus assume a condição humana em plenitude. Todas as suas possibilidades, e também todo o ônus de sua finitude. Na encarnação, Jesus abriu mão de suas prerrogativas divinas e mergulhou na existência em igualdade de condições com o ser humano mortal.

Isso explica porque os milagres não provam nem demonstram que Jesus era Deus, mas, sim, que era o homem perfeito. Jesus fez milagres porque era o homem perfeitamente submisso a Deus. Paulo apóstolo diz que Jesus "esvaziou-se a si mesmo vindo a ser servo, tornando-se semelhante aos homens" (Fp 2.7). Em sua condição de *kenosis* (esvaziado), Jesus fez o que fez porque viveu em absoluta coerência com as afirmações que usou para explicar a si mesmo:

- O Espírito do Senhor está sobre mim, porque ele me ungiu (*isto é, capacitou, autorizou, legitimou*) (Lc 4.18).
- Eu lhes digo verdadeiramente que o Filho não pode fazer nada de si mesmo; só pode fazer o que vê o Pai fazer, porque o que o Pai faz o Filho também faz (Jo 5.19).
- A própria obra que o Pai me deu para concluir, e que estou realizando, testemunha que o Pai me enviou (Jo 5.36).
- Quando vocês levantarem o Filho do homem, saberão que Eu Sou e que nada faço de mim mesmo, mas falo exatamente o que o Pai me ensinou. Aquele que me enviou está comigo; ele não me deixou sozinho, pois sempre faço o que lhe agrada (Jo 8.28-29).

Os milagres expressam e testificam a perfeita humanidade de Jesus. Jesus não fez milagres para provar que era Deus. Jesus fez milagres para demonstrar que era homem perfeito.

Através de seus milagres Jesus está fazendo o que Adão deveria ter feito: exercer domínio sobre toda a criação. A cada milagre Jesus está dizendo: "Eu não sou Adão, eu não rompi com Deus. Eu não pretendo ser autônomo em relação ao meu Pai. É por isso que sou capaz de fazer todas essas coisas. O poder e a autoridade do meu Pai estão comigo. O Espírito do meu Pai está sobre mim".

Jesus vive em absoluta rendição e submissão a Deus Pai. Em absoluto vínculo de unidade com Deus Pai. Como homem perfeito está perfeitamente submisso e sujeito a Deus Pai. E vice-versa, isto é, somente porque está perfeitamente submisso e sujeito a Deus Pai pode ser considerado homem perfeito.

Jesus triunfou naquilo que Adão fracassou.

Os milagres de Jesus revelam algo mais a seu respeito. Sinalizam sua messianidade. Jesus é o homem perfeito. Mas Jesus é também o Messias esperado pelos descendentes de Abraão. Esse é o real sentido porque João chama os milagres de Jesus de sinais.

> Jesus realizou na presença dos seus discípulos muitos outros sinais milagrosos, que não estão registrados neste livro. Mas estes foram escritos para que vocês creiam que Jesus é o Cristo, o filho de Deus e, crendo, tenham vida em seu nome.
>
> João 20.30-31

O sinal aponta em alguma direção. Os milagres de Jesus não são fins em si mesmos. Os milagres são placas de sinalização que apontam para o fato de que Jesus é o Cristo, o Filho do Deus vivo. A palavra "Cristo" não é um nome, é um título. Significa "ungido". Traduz a palavra hebraica "Messias", que tem o mesmo significado. Jesus é o nome. Cristo é o título. Com o tempo, o título foi incorporado ao nome: Jesus Cristo.

Na tradição do povo hebreu havia a crença de que o Messias seria o único capaz de realizar quatro milagres: curar um leproso, curar um cego de nascença, expulsar um demônio mudo e ressuscitar uma pessoa.

Esses eram chamados "milagres messiânicos". Havia os "milagres comuns", como curar pessoas, por exemplo. Mas a cura de um leproso era prerrogativa do Messias.

Alguns curandeiros poderiam curar cegos, mas somente o Messias poderia curar um cego de nascença. O entendimento da época acreditava que uma pessoa que nascesse cega estava amaldiçoada por Deus, e somente o Messias teria a autoridade de revogar uma maldição divina. Os evangelhos registram os milagres de Jesus como feitos inusitados na história de Israel (Jo 9.32).

Os milagres de Jesus são sinais. Milagres não são fins em si mesmos. Milagres não são o exercício do poder de Deus para o conforto humano. Deus não atua no ramo dos milagres. Milagres são sinais. Milagres apontam uma realidade. Apontam para o fato de que Jesus é o homem perfeito. Apontam para o fato de que Jesus é o Messias.

Os chineses dizem que "o sábio aponta para a Lua, e os tolos ficam olhando para o dedo". Os milagres são o dedo. Jesus é a lua.

LEPROSO

17 Talmidim52

Estando Jesus numa das cidades, passou um homem coberto de lepra. Quando viu Jesus, prostrou-se, rosto em terra, e rogou-lhe: "Se quiseres, podes purificar-me". Jesus estendeu a mão e tocou nele, dizendo: "Quero. Seja purificado!" E imediatamente a lepra o deixou. Então Jesus lhe ordenou: não conte isso a ninguém; mas vá mostrar-se ao sacerdote e ofereça pela sua purificação os sacrifícios que Moisés ordenou, para que sirva de testemunho. Todavia, as notícias a respeito dele se espalhavam ainda mais, de forma que multidões vinham para ouvi-lo e para serem curadas de suas doenças. Mas Jesus retirava-se para lugares solitários, e orava.
Lucas 5.12-16

Havia em Israel a crença de que o Messias, quando viesse, faria milagres até então jamais realizados. Além da expulsão de um demônio mudo, a ressurreição de uma pessoa e a cura de um cego de nascença, a cura de um leproso era considerada um milagre messiânico. Somente o Messias poderia curar um leproso.

A Torá, o Pentateuco, nos capítulos 13 e 14 do livro de Levítico, contém todas as prescrições e orientações sobre como os sacerdotes deveriam tratar de um caso de lepra, caso alguém chegasse, dizendo: "Eu era leproso, mas fui curado".

Os sacerdotes deveriam investigar se a pessoa tinha sido, de fato, leprosa e completamente curada, e em quais circunstâncias isso havia acontecido. As orientações também tratavam das ofertas que deveriam ser apresentadas a Deus: duas aves para iniciar o processo de investigação e depois, caso a cura ficasse mesmo comprovada, ofertas pelo pecado do leproso, holocausto e manjares. O leproso curado deveria ser coberto pelo sangue das ofertas e depois ungido com óleo para que ficasse plenamente purificado e pudesse ser integrado ao convívio da sociedade. Isso explica por que Jesus ordena ao leproso: "vá mostrar-se ao sacerdote e ofereça pela sua purificação os sacrifícios que Moisés ordenou, para que sirva de testemunho" (Lc 5.14).

A lepra era uma grande maldição em Israel. O leproso era considerado maldito. Deveria andar carregando sinetas, sacudindo-as e gritando: "leproso, leproso", avisar sua aproximação, a fim de que as pessoas abrissem caminho e deixassem a passagem livre de tal maneira que ninguém o tocasse.

O leproso era considerado cerimonialmente impuro, isto é, inadequado para a prática das atividades religiosas, dos rituais religiosos e impedido de frequentar o templo, em Jerusalém. Qualquer pessoa que tocasse num leproso se tornaria tão impura quanto ele. Por isso, a cura de um leproso era evidência de um milagre messiânico, pois somente o Messias seria capaz de tocar um leproso sem se contaminar com a imundície.

O evangelho diz que "Jesus estendeu a mão e tocou nele" (Lc 5.13). Isso é uma clara indicação de que Jesus sabe o que e por que está agindo dessa maneira. Seu recado aos sacerdotes é contundente. Jesus recomenda, inclusive, que o leproso se apresente diretamente aos sacerdotes, pois Jesus sabia que eles, em obediência às prescrições da Torá, deveriam abrir um processo investigativo. Deveriam imediatamente fazer uma pesquisa minuciosa para constatar se aquele homem tinha sido mesmo leproso, se a doença da qual ele fora curado era mesmo lepra. Eles deveriam buscar saber em quais circunstâncias havia sido realizada a cura, e o mais importante: quem o havia curado.

A razão para esse processo tão rigoroso de avaliação era a crença de que a cura de um leproso seria evidência da chegada do Messias.

Logo após a narrativa da cura do leproso, Lucas nos conta que "quando [Jesus] ensinava, estavam sentados ali fariseus e mestres da lei, procedentes de todos os povoados da Galileia, da Judeia e de Jerusalém" (Lc 5.17). Quando a notícia de que um leproso havia sido curado se espalhou, as autoridades judaicas mobilizaram o Sinédrio, o tribunal religioso judaico. Os fariseus integravam o Sinédrio. Eram homens notáveis, estudiosos da Lei de Moisés e rigorosíssimos na observância de seus mandamentos e procedimentos. Os mestres da Lei também participavam do processo de investigação e avaliação. O que estava em discussão não era apenas a cura de um leproso, mas a identidade daquele que havia curado um homem com lepra: "Será que o Messias está entre nós?". Essa era a verdadeira pergunta para a qual as autoridades judaicas de Jerusalém e das regiões da Judeia e da Galileia buscavam resposta.

Quando os fariseus acompanham Jesus, passo a passo, fazendo perguntas capciosas, suscitando controvérsias e tentando encontrar algum deslize em sua prática da Lei, na verdade estão cumprindo o seu papel. Era responsabilidade do Sinédrio, especialmente dos fariseus e doutores da Lei, verificar radical e minuciosamente todos os procedimentos a respeito de alguém que reivindicasse ser o Messias.

Quando Jesus cura dez leprosos de uma vez, também recomenda que todos se apresentem aos sacerdotes, o que significa que seriam abertos dez inquéritos para saber se houve a cura, quem curou, em que circunstância houve a cura e assim por diante. Jesus estava municiando o Sinédrio de provas e evidências de sua identidade messiânica. Estava dizendo alto e bom som: "Vejam, aí está um dos milagres que somente o Messias é capaz de realizar. Eu curei esses leprosos. Eu sou o Messias".

A cura do leproso não é apenas um milagre, é um sinal. Milagres não são soluções para os problemas circunstanciais dos seguidores de Jesus. Milagres não se prestam a poupar os talmidim de Jesus do ônus de viver que pesa sobre toda a raça humana. Milagres são sinais, evidências da identidade messiânica de Jesus.

Algo curioso nessa história remonta ao velho debate que se atribui a um concílio da Igreja em que os clérigos discutiam com os teólogos o que aconteceria se uma mosca caísse na água benta: a água ficaria impura ou a mosca seria purificada? Parece uma discussão superficial, ou coisa de menos importância, mas isso tem a ver com a distinção entre sagrado e profano, puro e impuro, própria das tradições religiosas.

De acordo com a tradição judaica, um leproso era impuro, e todo aquele que o tocasse ficaria igualmente impuro. Jesus inverte completamente a polaridade. Ao tocar no leproso Jesus não só não fica impuro, como também purifica o leproso. Não é Jesus quem fica impuro, é o leproso quem fica puro. Esta é a prerrogativa messiânica: purificar o impuro. O Messias não pode ser contaminado pelo impuro, porque o Messias é maior do que a impureza do impuro.

Essa é uma linguagem cifrada para comunicar a grandeza da obra de Jesus. Invadir as trevas levando luz. Invadir o espaço de impureza, levando purificação. O sangue de Jesus nos purifica de todo o pecado (1Jo 1.7). O sangue de Jesus tira o pecado do mundo (Jo 1.29).

Jesus diz que "as portas do inferno não prevalecerão" contra a marcha dos seus talmidim (Mt 16.18, RA). Não são os talmidim de Jesus que se protegem dos ataques do inferno. É o inferno que tenta reforçar as trancas de suas portas contra os que caminham em nome de Jesus.

No mundo de impureza e escuridão, Jesus entra com sua luz e seu poder redentor. Jesus avança com seu amor salvador. O que era escuro é iluminado, o impuro é purificado, o perdido é achado, o quebrado é restaurado, o cativo é liberto, o que estava morto recebe nova vida e alcança a ressurreição.

A cura do leproso é um grande sinal. Um sinal de que Jesus é o Messias. O ungido de Deus. Um sinal de que finalmente chegou aquele que detém em suas mãos a prerrogativa de vencer a morte e trazer à luz a vida e a imortalidade (2Tm 1.10).

Cego

Ao passar, Jesus viu um cego de nascença.
João 9.1

A cura de um cego de nascença é um dos milagres messiânicos. Ao lado da cura de um leproso e da expulsão de um demônio mudo, curar um cego de nascença era prerrogativa exclusiva do Messias. A tradição de Israel acreditava que o cego de nascença havia sido amaldiçoado por Deus. Por essa razão, os discípulos de Jesus perguntam: "Mestre, quem pecou: este homem ou seus pais, para que ele nascesse cego?" (Jo 9.2). A cegueira seria, portanto, resultado de uma maldição divina em virtude de pecados cometidos pelo cego ou por seus antepassados.

Mas como poderia alguém pecar antes mesmo de nascer? Provavelmente a tradição de Israel se baseava na história dos irmãos Jacó e Esaú, que ainda no ventre de sua mãe brigavam entre si para ver quem seria o primogênito. Jesus responde dizendo: "Nem ele nem seus pais pecaram, mas isso aconteceu para que a obra de Deus se manifestasse na vida dele" (Jo 9.3). A resposta sugere que aquela seria mais uma oportunidade para que os fariseus, os mestres da Lei e o povo de Israel identificassem Jesus como Messias.

Jesus cospe no chão, mistura terra com saliva, aplica a lama nos olhos do cego e manda que ele vá se lavar no tanque de Siloé. O homem foi, lavou-se e voltou vendo. Isso tem dois significados. Cuspir no chão, misturar saliva com terra e aplicar sobre olhos cegos não é mandinga. Jesus não é feiticeiro, praticante de "medicina mágica". Ao colocar terra em seus olhos, Jesus cria a ocasião para que aquele homem precise de água para se lavar. O lugar mais próximo é o tanque de Siloé, ou "tanque do enviado". Naqueles dias Jerusalém estava celebrando a Festa dos Tabernáculos. O tanque de Siloé está cheio de sacerdotes, que buscam água para lavar os degraus das escadarias do templo de Jerusalém. É justamente para essa grande aglomeração de sacerdotes que Jesus envia um cego de nascença que acaba de ser curado.

"Ninguém jamais ouviu que os olhos de um cego de nascença tivessem sido abertos", diz João ao contar essa história (Jo 9.32). Jesus promove um espetáculo histórico. Quando o cego lava os olhos nas águas de Siloé, imediatamente começa a enxergar. A multidão entra em alvoroço e começa a exclamar: "Este não é o cego de nascença? Pois agora ele está vendo!". Logo surgem alguns negando o fato e afirmando que havia uma confusão, e que aquele não era o cego de nascença conhecido na vizinhança. Para evitar esse tipo de confusão, os sacerdotes e doutores da Lei constituíam comissões para investigar se o homem era mesmo cego de nascença, se havia mesmo sido curado e, mais importante, quem havia feito a cura.

Quando um homem chega dizendo "eu era cego de nascença e fui curado", na verdade está anunciando "o Messias chegou, ele me curou". Por isso, "levaram aos fariseus o homem que fora cego" (Jo 9.13). O testemunho do homem curado é coerente. Mas o problema é que era sábado, e alguns fariseus questionaram dizendo: "Esse homem não é de Deus, pois não guarda o sábado. [...] Como pode um pecador fazer tais sinais milagrosos? E houve divisão entre eles" (Jo 9.16).

O debate continua. Voltam a interrogar o cego: "O que é que você diz a respeito dele? Ele é um homem de Deus ou não? Ele é abençoado de Deus ou não?" Então o cego responde: "Acredito que ele seja um profeta". Os fariseus queriam saber se o cego curado acreditava estar diante do Messias. Mas o cego responde como quem diz: "Eu não sei... Essa resposta não compete a mim. Os senhores é que são responsáveis por dizer se ele é o Messias ou não. Eu estou dizendo que talvez ele seja um profeta".

Os judeus não acreditavam que ele tinha sido cego, que havia sido curado, então foram chamar os pais dele, numa tentativa de escapar da responsabilidade de estabelecer um veredicto a respeito de Jesus. Caso o homem não fosse cego de nascença, então a celeuma a respeito da identidade de Jesus deixaria de ser necessária. Os pais do cego curado disseram: "Sabemos que ele é nosso filho e que nasceu cego. Mas não sabemos como ele pode ver agora ou quem lhe abriu os olhos. Perguntem a ele. Idade ele tem; falará por si mesmo" (Jo 9.20-21). Os pais temiam ser expulsos da sinagoga, caso tomassem partido ao lado de Jesus. A discussão não era a respeito do cego, de sua cegueira ou do fato de ser sábado. A verdadeira discussão era a respeito de Jesus, se ele era ou não o Messias.

Todo mundo está tentando escapar da pressão dos fariseus. Então, pela segunda vez, chamaram o homem que fora cego e lhe disseram: "Para a glória de Deus, diga a verdade. Sabemos que que esse homem é pecador" (Jo 9.24). Então, o cego diz: "Não sei se ele é pecador ou não. Uma coisa eu sei: eu era cego e agora vejo!" (Jo 9.25). Os fariseus insistem em fazer as mesmas perguntas, ficam andando em círculos, e o homem que fora cego provoca dizendo: "Eu já lhes disse, e vocês não me deram ouvidos. Por que querem ouvir outra vez? Acaso vocês também querem ser discípulos dele?" (Jo 9.27). Os fariseus tomaram aquilo como um insulto e tentaram encerrar a discussão de maneira agressiva: "Discípulo dele é você! Nós somos discípulos de Moisés! Sabemos que Deus falou a Moisés, mas, quanto a esse, nem sabemos de onde ele vem" (Jo 9.28-29).

O homem curado por Jesus não se faz de rogado: "Os senhores não sabem quem este homem é, não sabem de onde ele vem, mas ele curou um cego de nascença". O veredicto do Sinédrio é contraditório: "Ninguém jamais ouviu que os olhos de um cego de nascença tivessem sido abertos. Se esse homem não fosse de Deus, não poderia fazer coisa alguma". Diante disso, os fariseus desviam o foco e expulsam o cego de nascença curado por Jesus: "Você nasceu cheio de pecado; como tem a ousadia de nos ensinar?" (Jo 9.34).

Apesar do discurso aparentemente inconcluso, na verdade os fariseus fizeram uma opção clara. Eles não souberam explicar os fatos, não conseguiram administrar a situação e responder as perguntas dos circunstantes. Não souberam o que dizer aos pais do homem que fora cego, e não souberam nem mesmo cuidar do homem curado por Jesus. Mas uma coisa eles fizeram: porque não aceitaram a evidência de que estavam diante de um milagre messiânico, os fariseus se recusaram a crer que Jesus era o Messias.

Na cena seguinte, Jesus se aproxima daquele que fora cego e se apresenta usando para si um título messiânico: "Você crê no Filho do homem?". Perguntou seu interlocutor: "Quem é ele, Senhor, para que eu nele creia?" Jesus diz: "Você já o tem visto. É aquele que está falando com você". Então o homem afirma sua fé e cai de joelhos, em ato de adoração. Nenhum judeu adoraria outro ser humano, se não acreditasse estar diante de Deus. O ato desse homem fecha o ciclo iniciado no início da narrativa, quando Jesus profetiza que tudo que aconteceria dali em diante seria para que a obra de Deus se manifestasse por meio daquele cego de nascença (Jo 9.3).

Por trás do Filho do homem, o homem perfeito, está o Messias de Israel. E por trás do Messias de Israel está a própria pessoa de Deus, em carne e osso.

A adoração ao Messias leva os fariseus a se revoltarem ainda mais e a se sentirem ainda mais insultados. Alguns deles que presenciaram a cena perguntaram: "Acaso nós também somos cegos?" Jesus reage afirmando: "Eu vim a este mundo para julgamento, a fim de que os cegos vejam, e os que veem se tornem cegos. [...] Se vocês fossem cegos, não seriam culpados de pecado; mas agora que dizem que podem ver, a culpa de vocês permanece" (Jo 9.39,41). Jesus deixa claro também seu próprio veredicto a respeito dos fariseus.

Jesus curou leprosos e os enviou aos sacerdotes. Acaba de curar um cego de nascença e o envia ao tanque de Siloé, onde os sacerdotes estão reunidos para a Festa dos Tabernáculos. As evidências de sua identidade messiânica estão diante do Sinédrio, dos fariseus e dos mestres da Lei. Mas todos se recusam a admitir que Jesus é o Messias.

O pior cego não é apenas aquele que não quer ver. É aquele que pensa que vê.

LÁZARO

Eu sou a ressurreição e a vida. Aquele que crê em mim, ainda que morra, viverá; e quem vive e crê em mim não morrerá eternamente. Você crê nisso?
João 11.25-26

Os milagres de Jesus foram sinais. O sinal não é um fim em si mesmo; ele aponta em uma direção. Os milagres de Jesus, portanto, apontavam para o fato de que ele, Jesus de Nazaré, era o Messias. Na tradição de Israel eram prerrogativas do Messias alguns tipos de milagres. A cura de um cego de nascença, a expulsão de um demônio mudo, a cura de um leproso e a ressurreição de uma pessoa eram contados entre eles.

Os "milagres sinais" revelam quem é Jesus. A narrativa de João é bastante interessante. Registra uma afirmação que Jesus faz a respeito de si mesmo e depois conta uma história que demonstra que a revelação feita é verdadeira. Jesus disse: "Eu vim para que tenham vida, e a tenham plenamente" (Jo 10.10). Agora João conta o "milagre sinal" da ressurreição de Lázaro.

Jesus já havia dito coisas importantes a respeito de sua autoridade para dar vida. Depois de revelar muitas coisas e realizar um sem-número de milagres, ele diz:

> Vocês ainda não viram nem a metade, pois, como o Pai levanta os mortos e cria vida, assim também o Filho faz. O Filho dá vida a quem quiser. Nem ele nem o Pai rejeitam ninguém. O Pai concedeu ao Filho toda autoridade para julgar, de modo que o Filho seja honrado igualmente com o Pai. Quem desonra o Filho desonra o Pai, pois foi decisão do Pai pôr o Filho no lugar da mais alta honra. Ouçam com atenção, que é importante: quem crê no que eu digo e entra em sintonia com o Pai, que também me pôs nessa posição, recebe agora a vida plena e eterna, não está mais condenado a ser um estranho. É um passo gigante: do mundo dos mortos para o mundo dos vivos.
>
> João 5.20-24, A Mensagem

Jesus ressuscita Lázaro para ilustrar que ele tem nas mãos o poder da vida e da morte. Certo pregador disse que a razão de Jesus gritar o nome de Lázaro na porta do túmulo foi evitar que todos os que estivessem ali voltassem a viver.

A vida completa prometida pelo Messias era uma esperança dos judeus. Acreditavam que haveria uma "ressurreição no último dia", quando o Messias instaurasse seu reino e devolvesse Israel ao seu *status* glorioso, conforme promessas de Deus feitas pela boca do profeta Ezequiel: "A glória do SENHOR entrou no templo pela porta que olha para o lado leste" (Ez 43.4). Até hoje muitos judeus estão sepultados no cemitério em frente à chamada Porta Dourada, aguardando o dia em que poderão voltar à vida, entrar novamente na Cidade Santa e participar do reino messiânico.

Mas Jesus falava com Marta a respeito de outra ressurreição. Ele traz a ressurreição do "último dia" para o tempo presente. Foi por isso que Jesus afirmou anteriormente que "essa doença não acabará em morte; é para a glória de Deus, para que o Filho de Deus seja glorificado por meio dela" (Jo 11.4).

Marta e Maria e todos os circunstantes ficam surpresos com a notícia de que a ressurreição esperada para o "último dia" está diante deles como uma possibilidade real e imediata. Essa é a boa notícia, o evangelho de Jesus: a vida abundante não começa depois da morte, está disponível aqui e agora.

Os cristãos também vivem à luz da esperança da ressurreição. O apóstolo Paulo disse que "se não há ressurreição dos mortos, nem Cristo ressuscitou; e, se Cristo não ressuscitou, é inútil a nossa pregação, como também é inútil a fé que vocês têm". Disse ainda que "se é somente para esta vida que temos esperança em Cristo, somos, de todos os homens, os mais dignos de compaixão" (1Co 15.13-14,19).

Os cristãos esperamos a ressurreição, não a reencarnação, como se o espírito voltasse à vida em múltiplas expressões de pessoalidades. Também não esperamos nos misturar com o divino como uma gota que cai no oceano e deixa de existir como gota. Nem o aniquilamento, nem a diluição no todo cósmico, nem a reencarnação. A vida não acaba no túmulo. Como diz o poeta: "pra quem tem fé, a vida nunca tem fim". A grande esperança cristã é a ressurreição. A esperança na ressurreição é a vida sem fim para uma identidade pessoal. Assim como Jesus Cristo ressuscitou, Abraão, Isaque, Jacó, José, Moisés, Davi, os profetas e os apóstolos, os mártires da fé (Hb 11.11-40) e todos aqueles que têm seus "nomes escritos no livro da vida do Cordeiro" (Ap 21.27) aguardam a ressurreição.

É verdade, portanto, que na ressurreição, quando nosso corpo corruptível for revestido de incorruptibilidade e nosso corpo mortal for revestido de imortalidade (1Co 15.53), desfrutaremos a vida em plenitude. Mas Jesus está ressuscitando Lázaro também para afirmar a necessidade de preservar a identidade pessoal de cada ser humano. Quem morre e é aniquilado deixa de existir como pessoa. Quem morre e reencarna em outras muitas identidades deixa de existir como pessoa. E aquele que se dilui no oceano deixa de existir como pessoa. Apenas aquele que ressuscita continua a existir como pessoa.

O conceito de pessoa, de identidade pessoal, é caríssimo à fé cristã. O Deus cristão é um Deus pessoal. E nós que nos relacionamos com Deus somos pessoas. Dizer que "Deus é tudo", "Deus é luz", "Deus é a verdade", "Deus é poder" pode gerar muitos equívocos a respeito de Deus. De fato, Deus é tudo isso, mas tudo isso manifesto em uma dimensão pessoal e relacional. Deus é uma comunidade pessoal, que identificamos como Pai, Filho e Espírito Santo, que se relaciona com miríades de milhares de pessoas criadas por ele mesmo à sua imagem e semelhança.

A experiência cristã implica a expectativa de experimentar Deus a começar de agora. Quando Jesus diz: "Eu vim para que tenham vida, e a tenham plenamente" (Jo 10.10), ele está falando de uma realidade que é possível a partir de "já", a partir de "agora". Assim como Marta, Maria e os judeus de sua época acreditavam que a vida começaria apenas no futuro reino messiânico, muitos acreditam hoje que a vida verdadeira começa no céu, após a morte física. Mas Jesus diz que o poder da ressurreição já está presente na história, e nós podemos buscar mais vida a partir de agora.

A grande pergunta do nosso tempo não é a respeito da vida depois da morte. A pergunta mais urgente que precisamos responder é se acreditamos em vida antes da morte. Os cristãos acreditamos em vida antes da morte. Quem crê em Jesus tem a vida. Tem a vida a começar de agora. Ainda que a vida plena se manifeste em nós depois da ressurreição, buscamos experimentar o máximo possível da vida prometida por Jesus a partir de agora.

Quem anda com Jesus não tem medo da morte. Enfrenta a morte. Toda vez que se depara com a morte, olha para ela fazendo cara de ressurreição. E a morte vai perdendo seu poder. E a vida vai ganhando densidade. Até aquele dia em que a vida abundante que experimentamos já hoje se torna vida perfeita.

PÃO

> *Depois de ver o sinal milagroso que Jesus tinha realizado, o povo começou a dizer: "Sem dúvida este é o Profeta que devia vir ao mundo".*
> João 6.14

Os milagres de Jesus não se prestam ao papel de fazer a vida mais confortável, evitar sofrimentos e muito menos blindar seus talmidim. Os discípulos de Jesus partilham da boa e da má sorte de todos os seres humanos. Assim como o sol brilha sobre justos e injustos, também as tempestades sacodem todas as casas. A diferença dos discípulos de Jesus é que sua casa está construída em alicerce firme.

Os milagres são sinais que ajudam o povo a discernir o cumprimento da promessa da vinda do Messias (Jo 20.30-31). O sinal da multiplicação dos pães é um exemplo perfeito da lógica narrativa de João. O povo de Israel aguardava a chegada de um profeta semelhante a Moisés (Dt 18.15). Na imaginação do povo, o Messias seria um novo Moisés. Moisés libertou o povo da escravidão no Egito, conduzindo-o pelo deserto até a terra de Canaã. Jesus se utiliza dessa esperança para revelar-se como Messias. Age simbolicamente fazendo o povo lembrar de Moisés, mas revela que sua messianidade vai muito além da libertação política e da constituição de um estado-nação.

No famoso Sermão do Monte, Jesus faz comentários a respeito da Lei: "ouvistes o que foi dito, eu, porém, vos digo", e com isso reivindica para si a mesma autoridade de Moisés. Jesus não apenas interpreta a Lei. Na verdade, ele concede novo significado a toda a Lei de Moisés.

Assim como Deus fez cair pão dos céus quando o povo foi liberto do Egito, Jesus alimentou milagrosamente a multidão faminta. Quando o povo presencia o milagre da multiplicação dos pães, imediatamente associa o feito de Jesus à promessa de Moisés. Depois de ver o sinal miraculoso que Jesus tinha realizado, o povo começou a dizer: "Sem dúvida este é o Profeta que devia vir ao mundo" (Jo 6.14).

O "pão do céu" é uma referência explícita ao maná que alimentou o povo quando de sua peregrinação pelo deserto, tendo saído do Egito sob a direção espiritual de Moisés. A multidão fica impressionada com Jesus. Mas ele não se deixa levar pelo deslumbramento da multidão.

> *A verdade é que vocês estão me procurando não porque viram os sinais milagrosos, mas porque comeram os pães e ficaram satisfeitos. Não trabalhem pela comida que se estraga, mas pela comida que permanece para a vida eterna, a qual o Filho do homem lhes dará. Deus, o Pai, nele colocou o seu selo de aprovação.*
> João 6.26-27

Jesus está absolutamente consciente de que a multidão não entendeu o sinal milagroso. A multiplicação dos pães era o dedo do sábio apontando para a Lua, mas a multidão enxergava apenas o dedo. A imagem semelhante ao milagre do maná no deserto pretendia revelar o Messias, mas o povo ficou fascinado apenas com o pão.

A tendência humana de buscar milagres para a autossatisfação é tão antiga quanto Adão e Eva. Jesus considera isso uma péssima utilização e compreensão do milagre. A pretensão da manipulação do poder divino em benefício próprio é um desvio absoluto dos propósitos de Deus ao realizar milagres, que na verdade são sinais.

Jesus recomenda que o povo busque "a comida que permanece para a vida eterna" (Jo 6.27). Em outras palavras, exorta o povo a que não se iluda com o milagre, cujo efeito é passageiro, mas atente para a realidade que o milagre pretende revelar, e que "permanece para a vida eterna".

O povo fica confuso e pede sinais. Lembra de Moisés, mas não compreende o que está por trás dos acontecimentos. Jesus esclarece fazendo referências a si mesmo: "Eu sou o pão da vida" (Jo 6.35,48); "Eu sou o pão que desceu do céu" (Jo 6.41); "Eu sou o pão vivo que desceu do céu" (Jo 6.51).

Jesus inicia um discurso aparentemente antropofágico:

> Eu sou o pão vivo que desceu do céu. Se alguém comer deste pão, viverá para sempre. Este pão é a minha carne, que eu darei pela vida do mundo [...] Se vocês não comerem a carne do Filho do homem e não beberem o seu sangue, não terão vida em si mesmos. Todo aquele que come a minha carne e bebe o meu sangue tem a vida eterna, e eu o ressuscitarei no último dia. Pois a minha carne é verdadeira comida e o meu sangue é verdadeira bebida. Todo aquele que come a minha carne e bebe o meu sangue permanece em mim e eu nele.
>
> João 6.51,53-56

Jesus vai mais longe que Moisés. Dá um passo além do maná e extrapola a experiência tradicional em que Israel ancora a sua identidade. Jesus quer levar não apenas o povo de Israel, mas toda a humanidade para além da satisfação dos desejos e das necessidades do aqui e do agora Jesus convoca para a transcendência e para a vida eterna: "Aquele que come do pão que eu lhe dou viverá para sempre".

Os milagres de Jesus apontam para ele mesmo. Os milagres são o menu. Jesus é a refeição. Os milagres não podem nos satisfazer. Jesus, e tão somente Jesus, pode ser suficiente para a fome de vida eterna. A pergunta imediata que surge na cabeça dos talmidim de Jesus é: "Como, então, podemos comer da carne e beber do sangue de Jesus?" A resposta é mais simples do que se imagina. "O Espírito dá vida; a carne não produz nada que se aproveite. As palavras que eu lhes disse são espírito e vida" (Jo 6.63).

A multidão, confusa e impactada pela radicalidade do discurso de Jesus, começa a se dispersar. Ele pergunta a seus talmidim se também querem ir embora. E Pedro responde: "Senhor, para quem iremos? Tu tens as palavras de vida eterna. Nós cremos e sabemos que és o Santo de Deus" (Jo 6.68-69).

Jesus se confunde com sua palavra. Ao tempo em que diz "Eu sou o caminho, a verdade e a vida" (Jo 14.6), diz também que a palavra de Deus é a verdade (Jo 17.17). Crer em Jesus implica crer na palavra de Jesus. E vice-versa.

A multidão continua querendo pão. Jesus oferece pão da vida. A multidão continua correndo atrás de milagres. Jesus se oferece como caminho, verdade e vida. A multidão continua querendo as bênçãos de Deus. Jesus nos convida a andar nos seus passos, comendo da sua carne e bebendo do seu sangue, vivendo conforme a sua palavra. A multidão continua na categoria de consumidores da boa vida. Jesus quer seguidores que caminhem com ele para a vida eterna.

MOSCAS

Depois disso, levaram-lhe um endemoninhado que era cego e mudo, e Jesus o curou, de modo que ele pôde falar e ver. Todo o povo ficou atônito e disse: "Não será este o Filho de Davi?".
MATEUS 12.22-23

Os milagres de Jesus não foram fins em si mesmos. Foram sinais. Sinais que apontavam em uma direção. Para sua identidade messiânica. O povo de Israel esperava o seu Messias. Os milagres eram formas ilustrativas de Jesus dizer: "Vejam! Eu sou o Messias. Vocês não estão esperando o Messias? Eu sou o Messias".

Muitas pessoas reivindicavam ser o Messias. Falsos Messias apareciam aos montes em Israel. Então Israel desenvolveu critérios para discernir o legítimo e verdadeiro Messias. Entre esses critérios estavam os chamados milagres messiânicos, como por exemplo ressuscitar uma pessoa, curar um cego de nascença, curar um leproso. Expulsar um demônio mudo era uma dessas coisas que somente o Messias seria capaz de fazer.

A expressão "levaram-lhe um endemoninhado que era cego e mudo" tem uma conotação muito forte. É mais ou menos como dizer o seguinte: "Esse Jesus não está dizendo que é o Messias? Então levem até ele um demônio mudo, e vejam se consegue expulsá-lo".

Na tradição de Israel o nome é a identidade. Quem nomeia domina. Quem sabe o nome, conhece. Quem nomeia e sabe o nome, conhece e domina, exerce influência e controla. O livro de Gênesis conta que Deus delegou a Adão a responsabilidade de dar nome aos animais. Diz a Bíblia que "havendo, pois, o SENHOR Deus formado da terra todos os animais do campo e todas as aves dos céus, trouxe-os ao homem, para ver como lhes chamaria; e o nome que o homem desse a todos os seres viventes, esse seria o nome deles" (Gn 2.19, RA).

O trabalho humano de classificação das espécies animais, e na verdade de tudo quanto há no universo, é uma expressão do cumprimento do mandato de Deus: "Sede fecundos, multiplicai-vos, e enchei a terra, e sujeitai-a; dominai sobre os peixes do mar, sobre as aves dos céus, e sobre todo o animal que rasteja sobre a terra" (Gn 1.28, RA).

O ato de nomear é uma expressão de hierarquia. Porque nomeia, o ser humano está acima dos animais. Por isso Gênesis diz que "o homem deu nomes a todos os rebanhos domésticos, e às aves do céu, e a todos os animais selvagens. Todavia não se encontrou para o homem alguém que o auxiliasse e lhe correspondesse" (Gn 2.20). A mulher não está entre os seres nomeados por Adão, o que significa que a mulher não está entre seres criados com os quais Adão se relaciona na categoria da dominação, mas na dimensão da comunhão e da vida conjugal.

A mesma lógica está presente na experiência de Moisés diante da sarça incandescente no deserto. Ao ouvir uma voz que se identifica como sendo a voz de Deus, Moisés quer saber mais sobre o Deus que fala com ele. Essa é a razão da pergunta "qual é o seu nome?". Moisés sabe que é o "Deus dos seus antepassados, o Deus de Abraão, o Deus de Isaque e o Deus de Jacó". Mas quer saber o nome, isto é, quer mais informações e detalhes. Deus responde que seu nome é impronunciável.

Alguns estudiosos da Torá dizem que o som mais próximo do que Moisés teria ouvido no deserto quando Deus lhe responde seu nome é o som da respiração. É como se Deus dissesse a Moisés: "Inspire e expire. Esse é o meu nome". O que tem nome pode ser decodificado. O que pode ser nomeado pode ser identificado, delimitado, controlado, manipulado. O Deus que fala com Moisés se revela como aquele que está além de qualquer classificação e categorização, e portanto além de qualquer possibilidade de controle e manipulação. A maneira que os tradutores bíblicos encontraram para resolver o problema de nomear alguém cujo nome é impronunciável foi chamá-lo de EU SOU. Assim surgiu a noção de que Moisés não estava diante de mais um dos muitos deuses egípcios, mas diante de Deus: único, inigualável, incomparável.

O nome de Deus é impronunciável talvez porque ele não esteja ao alcance de nossas mãos. Essa pode ser a lógica por trás do desafio de "expulsar um demônio mudo". Um demônio que não pode expressar o seu nome não pode ser identificado e, portanto, não pode ser controlado. Diante de um demônio mudo, o exorcista está lutando contra um inimigo oculto, invisível e inacessível.

Mas não para o Messias!

Quando Jesus cura o homem cego e mudo, expulsando o demônio que estava nele, todo o povo ficou admirado e disse: "Não será este o Filho de Davi?" (Mt 12.23). A multidão conseguiu perceber que aquele era um sinal inequívoco de que Jesus era o Messias. Mas as lideranças religiosas de Israel rejeitaram essa evidência e fizeram uma acusação grave contra Jesus: Bom, é verdade que ele expulsa demônios, inclusive expulsa demônios mudos, e é verdade que há um poder espiritual sobre ele, mas é o espírito de Baal-Zebu, o senhor das moscas (Mt 12.24).

Jesus responde a essa acusação com muita contundência: "Todo aquele que disser uma palavra contra o Filho do homem será perdoado, mas quem falar contra o Espírito Santo não será perdoado, nem nesta era, nem na que há de vir" (Mt 12.32).

Jesus iniciou seu ministério terreno afirmando: "o Espírito do Senhor está sobre mim" (Lc 4.18). A acusação dos fariseus faz que o Espírito Santo seja confundido com o espírito do senhor das moscas, Baal-Zebu. Esta é a blasfêmia contra o Espírito Santo: atribuir a outro espírito aquilo que somente o Espírito Santo é capaz de realizar; confundir o Espírito Santo com outro espírito.

Por trás da insinuação maldosa dos fariseus, que Jesus classifica como blasfêmia contra o Espírito Santo, está também uma intenção clara. Dizer que Jesus está agindo sob influência de Baal-Zebu é negar-lhe a autoridade messiânica. Negar a autoridade messiânica é o mesmo que rejeitá-lo e jogá-lo fora. Ou você aceita Jesus na identidade que ele reivindica ter, ou você o descarta.

Você não pode interpretar Jesus de acordo com o que acha que ele é. Você pode considerá-lo apenas um grande mestre da moral, um espírito evoluído ou um grande revolucionário; até mesmo um contestador da religião. Mas Jesus não reivindicou nada disso. Ele reivindicou ser o Messias. Reivindicou sua identidade messiânica e sua identidade como filho de Deus.

Assim, a expulsão do demônio mudo poderia ter duplo sentido. Além de ser uma maneira explícita de Jesus reivindicar sua identidade messiânica, também poderia ser uma profecia contra Israel. Assim como aquele homem era oprimido pelo espírito cego e mudo, também a comunidade de Israel tinha sua identidade oprimida. Jesus estaria se utilizando de uma linguagem simbólica e metafórica para ensinar que existem espíritos malignos que impedem a legítima expressão da identidade humana.

A poesia hebraica é a fonte de Jesus. O Salmo 115 diz que "prata e ouro são os ídolos deles, obra das mãos dos homens. Têm boca e não falam; olhos e não veem. Têm ouvidos e não ouvem; narizes e não cheiram. Suas mãos não apalpam; seus pés não andam; som nenhum lhes sai da garganta" (v. 4-7, RA). E termina concluindo: "tornam-se semelhantes a eles os que os fazem e quantos neles confiam" (v. 8, RA). Com seu ato de exorcismo, Jesus não apenas libertaria um homem, mas também ofereceria libertação a todo o povo.

Jesus é o Messias, o Filho do homem, o Filho de Deus. Jesus é aquele que detém poder e autoridade para tudo e todos. Mas, diferentemente dos espíritos malignos e dos ídolos, exerce seu poder para libertar, não para escravizar. Faz valer sua autoridade para restaurar a plena humanidade a cada ser criado à imagem e semelhança de Deus, não para obstruir o potencial intrínseco a cada ser humano.

Os talmidim de Jesus são chamados a se tornarem seres humanos em plenitude. Homens e mulheres que têm olhos que veem, bocas que falam, pés que andam e mãos que abraçam. Os senhores das moscas oprimem e matam. Jesus liberta, restaura e concede vida.

SHABAT

> *Estava ali um homem com uma das mãos atrofiada. Procurando um motivo para acusar Jesus, eles lhe perguntaram: "É permitido curar no sábado?". Ele lhes respondeu: "Qual de vocês, se tiver uma ovelha e ela cair num buraco no sábado, não irá pegá-la e tirá-la de lá? Quanto mais vale um homem do que uma ovelha! Portanto, é permitido fazer o bem no sábado".*
>
> MATEUS 12.10-12

Jesus reivindicou ser o Messias. Realizou os milagres messiânicos e se submeteu ao escrutínio do Sinédrio, o tribunal religioso judaico, e dos fariseus e doutores da Lei. As autoridades judaicas não ficaram satisfeitas. Além de buscarem desqualificar os milagres-sinais messiânicos, pretendem também encontrar falhas em como Jesus interpreta e pratica a Lei de Moisés.

O *shabat* é um dos preceitos mais valiosos da Lei.

> Lembra-te do dia de sábado, para santificá-lo. Trabalharás seis dias e neles farás todos os teus trabalhos, mas o sétimo dia é o sábado dedicado ao SENHOR, o teu Deus. Nesse dia não farás trabalho algum, nem tu, nem teus filhos ou filhas, nem teus servos ou servas, nem teus animais, nem os estrangeiros que morarem em tuas cidades. Pois em seis dias o SENHOR fez os céus e a terra, o mar e tudo o que neles existe, mas no sétimo dia descansou. Portanto, o SENHOR abençoou o sétimo dia e o santificou.
>
> Êxodo 20.8-11

Também nos dias de Jesus os rabinos tratavam a guarda do sábado com muita seriedade. Criticaram os talmidim de Jesus porque de passagem por um milharal esfarelaram milho nas mãos para se alimentar. Quando Jesus misturou saliva com a terra para ungir os olhos do cego de nascença, acusaram-no de trabalhar no sábado.

Os rabinos eram minuciosos e detalhistas. Debatiam horas a fio o tipo e a quantidade ou intensidade de atividade permitida para que o quarto mandamento do Decálogo fosse respeitado. Debatiam, por exemplo, quantos quilômetros é possível caminhar no sábado sem quebrar a lei. Um rabino dizia: "Você pode caminhar 8km". Outro rebatia: "Desde que você não carregue sacolas, pois com as sacolas poderá caminhar apenas 5km". Provavelmente um debate a respeito de Jeremias 17.21 e Neemias 13.19, que proibiam "levar cargas no *shabat*". Esse é o contexto da pergunta encaminhada a Jesus: "É permitido curar no sábado?".

Jesus responde afirmando que a vida de um homem vale mais que a lei do sábado. A Lei de Deus existe para preservar e promover a vida. Obedecer à Lei sacrificando a vida trai o propósito da Lei. Não faz sentido obedecer à Lei concedida por Deus para favorecer a vida, quando a obediência exige o sacrifício da vida. É como deixar de beber água quando temos sede com a justificativa de que precisamos poupar água para o dia em que tivermos sede.

A lógica farisaica sugeria que o correto seria guardar o sábado em detrimento da vida humana. Jesus pensava exatamente o oposto: a única forma de guardar o sábado é guardando a vida humana. Os fariseus acreditavam que curar no sábado era uma forma de quebrar a Lei. Mas Jesus sabia que deixar de curar um homem no sábado é uma violência contra o homem e contra o sábado.

Talvez não exista momento mais propício para curar um homem que no sábado. O sábado é o dia do descanso. Deixamos de trabalhar para que possamos nos dedicar exclusivamente a desfrutar do favor, da bondade e da graça de Deus. O sábado é dia de lembrar que a vida humana se sustenta absoluta e exclusivamente na generosidade de Deus. Curar um homem no sábado é absolutamente coerente. O sábado é o tempo quando o favor de Deus se manifesta na direção do fraco, do necessitado e de todos os que depositam sua confiança em Deus, e nele descansam.

O grande desafio da experiência cristã é tirar o sábado do calendário semanal para que ele se torne um modo de ser e existir em todos os dias da semana. O segredo é transformar todos os dias em sábado. Para viver um constante *shabat* é preciso receber das mãos de Deus a vida como dádiva. Crer que o pão que está à mesa é fruto da graça de Deus. Depender da providência de Deus. Descansar no vigilante e ininterrupto cuidado de Deus para conosco.

Jesus nos ensina a orar pedindo "o pão nosso de cada dia". Joaquim Jeremias, estudioso das línguas semíticas, acredita que essa frase que Jesus pronunciou originalmente em aramaico seria mais bem traduzida por "o pão nosso de amanhã nos dá hoje".[3] O pão é uma referência ao maná que o povo recebia no deserto enquanto peregrinava rumo à Terra Prometida sob a liderança de Moisés.

O maná era "o pão que caia do céu" todos os dias. Mas, na sexta-feira, caía porção dobrada. Para que pudesse santificar para Deus o sétimo dia, o povo recebia na sexta-feira o maná equivalente à sexta-feira e ao sábado (Êx 16.4-5). Na oração do pai-nosso, Jesus estaria nos ensinando algo como "o pão do *shabat* dá-nos hoje". Receber o pão do dia seguinte resulta em não ser necessário se preocupar com o dia de amanhã. "Basta a cada dia o seu mal", disse Jesus (Mt 6.34). "Viva um dia de cada vez e descanse no fato de que Deus já garantiu o seu amanhã".

Durante muito tempo meditei na pergunta que o saudoso Antônio Abujamra fazia aos seus convidados para encerrar seu programa *Provocações*: o que é a vida? Minha resposta seria: "a vida é dádiva".

O *shabat* é o mandamento de guardar um dia da semana para lembrar que a vida é dádiva que recebemos de Deus. Um tempo em que literalmente somos convidados por Deus a cruzar os braços e esperar cair pão do céu. Durante seis dias nos entregamos à rotina de semear e colher. Mas, no sétimo dia, descansamos, esperando em Deus. Há coisas na vida que estão além da capacidade de trabalho de qualquer pessoa. Há coisas que jamais conseguiremos conquistar ou realizar, mesmo trabalhando de sol a sol. Em última instância, a vida é dádiva. Dádiva de Deus.

Quando aprendemos a desfrutar a vida como dádiva, passamos não apenas a descansar em Deus, como também a cooperar com ele. Curar no sábado passa a ser algo tão natural que jamais nos passaria pela cabeça considerar se estamos quebrando a Lei enquanto celebramos a vida.

Viver todos os dias como quem vive num constante *shabat* é viver promovendo e preservando a vida, e atuando em seu favor. Viver todos os dias como quem vive um *shabat* perene é trabalhar duro, molhar a camisa, deixar pingar no chão o suor do rosto. Mas não como quem leva o mundo nas costas, pois somente Deus é capaz de fazer isso. Viver no *shabat* implica saber que há coisas na vida que desfrutamos não porque trabalhamos, mas porque Deus pela sua generosidade nos permitiu experimentar.

O rabino Joshua Heshel disse que "o *Shabat* é uma catedral no tempo". Mais do que um dia da semana, o *shabat* é um modo de vida. Para quem vive nas mãos de Deus, o mundo pode ser um imenso e maravilhoso templo. E todo dia pode ser sábado. Ou domingo.

QUIZ

> *Ninguém conseguia responder-lhe uma palavra; e daquele dia em diante, ninguém jamais se atreveu a lhe fazer perguntas.*
> MATEUS 22.46

O judaísmo do tempo de Jesus era dividido em seitas. Os zelotes e os herodianos eram as versões políticas. Enquanto os zelotes eram radicalmente contra o imperialismo romano e sua ocupação do território de Israel, os herodianos eram adesistas e se beneficiavam prestando serviços a Roma.

Havia também os essênios, que viviam isolados em uma comunidade separatista. Os saduceus reuniam o alto escalão social e econômico da sociedade, na Judeia. E os fariseus, que era o grupo majoritário e de maior influência no judaísmo daqueles dias. Jesus fez críticas contundentes ao farisaísmo de sua época e se envolveu, ou foi envolvido, em várias controvérsias com esses considerados fundamentalistas da época.

Mas os fariseus tinham uma nobre função em Israel. O nome "fariseu" significa "separado" e indica sua motivação original de se consagrar exclusivamente ao estudo da Lei e à preservação das tradições do povo hebreu. Muitos se tornaram doutores da Lei, uma classe especial de mestres religiosos. Muitos integravam o Sinédrio, o tribunal legislativo e religioso que reunia aproximadamente 20 juízes e existia em quase todas as cidades de Israel. O Grande Sinédrio era uma espécie de "supremo tribunal", legislativo e religioso, e era composto por um chefe, o sumo-sacerdote, e mais 70 anciãos. O sinédrio deixou de existir no século 4 d.C. Os fariseus eram poderosos e representativos nos sinédrios locais e em maioria no Grande Sinédrio.

Desde sua origem, os fariseus tomaram para si a responsabilidade de guardar a pureza da religião de Israel. Por essa razão discutiam minuciosa e detalhadamente todos os aspectos da Lei. Acreditavam ser também responsáveis por colocar à prova e investigar criteriosamente todos os que surgiam afirmando ser o Messias. Foi para cumprir essa tarefa que os fariseus e doutores da Lei se envolveram em muitas controvérsias com Jesus. Queriam saber se ele era mesmo o Messias. Quando agiam assim, estavam cumprindo suas obrigações, acreditando fazer a coisa certa em defesa da integridade de Israel. Foram rigorosos, submeteram Jesus a toda sorte de questionamentos, tentando encontrar alguma incoerência na interpretação e prática que Jesus fazia da Lei. Seu objetivo era levar a discussão aos limites máximos de contrariedades, para que os falsos Messias fossem desmascarados.

Ao final de um longo processo de debates e avaliações, os fariseus desistiram de interrogar Jesus: "daquele dia em diante ninguém jamais se atreveu a lhe fazer perguntas" (Mt 22.46). Não significa que Jesus tenha convencido seus questionadores, mas com certeza conseguiu responder satisfatoriamente a todos os argumentos daqueles que lançavam dúvidas e eram reticentes em aceitar a reivindicação que faziam a respeito de sua identidade messiânica.

O evangelista Mateus conta a história do debate a respeito dos impostos cobrados por Roma: "É certo pagar impostos a César ou não?" (Mt 22.17). Caso Jesus respondesse negativamente, seria acusado de praticar crime de sedição, ou seja, atentar contra a autoridade de César. Em contrapartida, se aprovasse o pagamento de impostos a Roma, seria considerado traidor de Israel, por defender a submissão a uma nação opressora.

Jesus responde com a genialidade que lhe era peculiar e fala de maneira a confundir seus interrogadores: "Deem a César o que é de César, e a Deus o que é de Deus" (Mt 22.21). E com isso, encerra a controvérsia.

Em seguida, surge um debate a respeito da ressurreição: "Quando uma mulher casada com vários homens ressuscitar, com qual deles ela será casada? Qual será o seu marido legítimo?". Jesus responde que no céu não se casam, e nem se dão em casamento. Então os doutores da Lei passam a debater qual é o maior de todos os mandamentos, levando o debate para dentro da Torá. "Amar a Deus sobre todas as coisas e ao próximo como a si mesmo", responde Jesus, somando ao lado dos mais tradicionais e respeitados mestres de Israel.

Após responder adequada e satisfatoriamente todas as perguntas, Jesus inverte o jogo. Agora é ele quem interpela seus inquisidores:

> "O que vocês pensam a respeito do Cristo? De quem ele é filho?" "É filho de Davi", responderam eles. Ele lhes disse: "Então, como é que Davi, falando pelo Espírito, o chama 'Senhor'? Pois ele afirma: 'O Senhor disse ao meu Senhor: Senta-te à minha direita, até que eu ponha os teus inimigos debaixo de teus pés'. Se, pois, Davi o chama 'Senhor', como pode ser ele seu filho?" Ninguém conseguia responder-lhe uma palavra; e daquele dia em diante, ninguém jamais se atreveu a lhe fazer perguntas.
>
> Mateus 22.42-46

O tempo das controvérsias é encerrado. Os fariseus e doutores da Lei não admitiram que Jesus era o Messias. Mas não puderam fazer contra ele nenhuma acusação em relação às suas interpretações da Lei de Moisés. Reconheceram que estavam diante de um mestre semelhante aos melhores de sua época. Os questionamentos foram diversos: política e ideologia, pois trataram da relação econômica entre Israel e Roma; dogmática, abordando as doutrinas a respeito da ressurreição; ética, a respeito dos mandamentos fundamentais; religião, cerimonialismo e ritualismo, discutindo a legitimidade de curar no sábado, a ocasião em que se deve lavar as mãos e fazer purificações, praticar o jejum. Em todos os temas Jesus demonstrou absoluto domínio da Lei de Moisés.

O ódio contra Jesus crescia na mesma proporção das evidências de sua identidade messiânica. Os fariseus e doutores da Lei estavam convencidos de que ele era um falso Messias. Mas não tinham argumentos para confirmar seu veredicto. Na falta de argumentos, apelaram para a violência: "então os fariseus saíram e começaram a conspirar sobre como poderiam matar Jesus" (Mt 12.14).

Jesus se expõe ao questionamento. Uma fé que não pode ser questionada não é legítima. Uma fé que não se dispõe a responder perguntas não merece crédito. Aqueles que realmente estão seguros de sua identidade e suas crenças são abertos ao debate e ao diálogo. O apóstolo Paulo escreve à igreja de Corinto dizendo que "nada podemos contra a verdade, mas somente em favor da verdade" (2Co 13.8). A melhor coisa que pode acontecer para uma pessoa honesta em sua fé é descobrir que está sendo enganada. Ganha a oportunidade de rever seu ponto de vista, suas convicções e seus comportamentos. Tem a oportunidade de se arrepender e colocar os pés no caminho da justiça.

Pessoas honestas não têm medo do diálogo. Não temem o debate. Não fogem de se expor ao contraditório e ao questionamento. Não evitam discutir a profundidade e a coerência de sua fé. Pessoas honestas gostam disso. Jesus gostava. Jesus respondeu com elegância, sabedoria e discernimento a todos os seus questionadores. Estava seguro de si, de sua identidade e de suas crenças.

A fé cristã não é baseada na razão. É uma fé baseada na revelação. A fé cristã também não é adesão a um conjunto de crenças e lógicas. Também não é mera submissão cega a preceitos morais, e muito menos prática mecânica de cerimoniais ritualísticos. A fé cristã é um relacionamento com uma pessoa: Jesus Cristo, o Messias, o filho de Deus, que foi morto e ressuscitou no terceiro dia, e está vivo. Isso é a fé cristã.

Em contrapartida, embora seja fé a partir da revelação, não é irracional. Também tem a sua inteligência e não tem medo de discutir com os inteligentes. Portanto, eu digo a você que é um seguidor de Jesus Cristo: não tenha medo de debater e discutir sua fé, não fuja dos questionamentos e das perguntas, não fuja dos problemas que outras mentes inteligentes levantam contra a sua fé. Mas, principalmente, não tenha medo de sua própria mente inteligente.

Jesus nunca fugiu das perguntas. Com a sua coerência, integridade e honestidade, com a sua elegância e com o seu coração generoso e acolhedor, apresentou respostas a todos os argumentos que lançaram dúvidas sobre sua fé a respeito de si mesmo, de Deus, o Pai, e de toda a Lei de Moisés, isto é, a cosmovisão de sua religião.

Jesus não condenou quem o questionou, mas os deixou sem alternativas. Os descrentes não puderam usar Jesus como argumento e justificativa para sua falta de fé. Deveriam justificar sua incredulidade na inconsistência de suas percepções, na conveniência de suas crenças, na teimosia em admitir a verdade ou em qualquer outro fundamento. Mas não podiam usar Jesus como desculpa para o seu ceticismo.

Jesus não tem medo de perguntas. Nele "estão escondidos todos os tesouros da sabedoria e do conhecimento" (Cl 2.3).

Adorar

> *Saindo daquele lugar, Jesus retirou-se para a região de Tiro e de Sidom. Uma mulher cananeia, natural dali, veio a ele, gritando: "Senhor, Filho de Davi, tem misericórdia de mim! Minha filha está endemoninhada e está sofrendo muito". Mas Jesus não lhe respondeu palavra. Então seus discípulos se aproximaram dele e pediram: "Manda-a embora, pois vem gritando atrás de nós". Ele respondeu: "Eu fui enviado apenas às ovelhas perdidas de Israel". A mulher veio, adorou-o de joelhos e disse: "Senhor, ajuda-me!" Ele respondeu: "Não é certo tirar o pão dos filhos e lançá-lo aos cachorrinhos". Disse ela, porém: "Sim, Senhor, mas até os cachorrinhos comem das migalhas que caem da mesa dos seus donos". Jesus respondeu: "Mulher, grande é a sua fé! Seja conforme você deseja". E naquele mesmo instante a sua filha foi curada.*
> MATEUS 15.21-28

Jesus está diante do clamor de uma mãe desesperada. Mães são sagradas. Mães que clamam em favor dos seus filhos são mais sagradas ainda. Diante de mulheres assim, nada podemos fazer senão atender sua súplica. Mas Jesus surpreende mais uma vez. Aliás, duas vezes.

A mulher vem da região de Tiro e Sidom, na Fenícia, parte da província romana da Síria. É identificada como cananeia porque os fenícios eram descendentes de Canaã, e também como grega. Em termos simples, a mulher não era judia, e portanto sua filha também não era. Desde os tempos do exílio na Babilônia, quando Israel passou a viver sob uma nação estrangeira dominante, a identidade judaica passou a ser definida pelo ventre materno. A realidade das uniões mistas e as situações de estupros frequentes levaram o Sinédrio, a Corte Judaica, a optar pela matrilinearidade, pois é sempre possível ter certeza da mãe de uma criança. Toda criança nascida de um ventre judeu era considerada israelita, independentemente do pai. Assim Israel preservou sua linhagem mesmo no exílio e na diáspora.

A primeira resposta de Jesus à mulher foi o silêncio. A segunda, ainda mais surpreendente: "eu fui enviado apenas às ovelhas perdidas de Israel". A resposta é um eco das palavras de João: "Veio para o que era seu, mas os seus não o receberam. Contudo, aos que o receberam, aos que creram em seu nome, deu-lhes o direito de se tornarem filhos de Deus" (Jo 1.11-12).

A aparente indiferença de Jesus pode soar estranha e agressiva, mas era assim mesmo que os judeus se relacionavam com os gentios. Considerados impuros e alheios às promessas de Deus, os gentios eram os "sem-Torá". Os sem-Lei de Moisés eram estranhos a Deus e, portanto, estranhos também a Israel.

Jesus diz que "não é certo tirar o pão dos filhos e lançá-lo aos cachorrinhos". Os judeus daquela época agradeciam a Deus por não terem nascido mulher, não terem nascido gentios e não terem nascido cães. Diante da mulher siro-fenícia, Jesus está respeitando os conflitos étnicos, políticos e especialmente religiosos que os judeus tinham com as outras nações desde tempos remotos. O acolhimento de Jesus aos gentios pode comprometer a revelação de sua identidade messiânica. Os fariseus e doutores da Lei poderiam usar aquela situação para mais uma vez acusar Jesus de falso Messias.

Os profetas de Israel acusavam a nação de Israel de ter abandonado Javé, seu legítimo marido, e correr atrás de outros amantes. A grande crítica dos profetas comparava a idolatria de Israel com o adultério. A busca de outros deuses era um adultério espiritual. Em especial o profeta Oseias vive essa situação explicitamente. Sua vocação exige que ele se case com uma prostituta para que experimente o coração de Deus em relação a Israel. Na profecia, Deus é o marido traído, e Israel é a mulher infiel, que se prostitui correndo atrás dos namorados.

Diante da mulher siro-fenícia os papéis se invertem. Os discípulos poderiam suspeitar que Jesus está correndo atrás de outras namoradas. O Messias é marido de uma só mulher, a nação de Israel. Por que, então, se confia a outros povos, dedica atenção e acolhe pessoas de outras nações? Por que se doa aos estrangeiros? Além da filha da mulher cananeia, Jesus cura o filho de um oficial romano e passa dois dias inteiros realizando milagres em Samaria. O evangelista Lucas faz questão de ressaltar que o único dos dez leprosos curados a voltar para agradecer era estrangeiro (Lc 17.18).

Os profetas diziam que Deus era fiel, mas a nação de Israel era idólatra e adúltera. Mas agora podia parecer que o Messias é quem tinha interesse por outras namoradas. Ainda hoje há muitos que não compreendem o que Israel não conseguiu discernir àquela época. De fato, Deus só tem uma mulher. De fato, Deus só tem uma esposa. De fato, Deus só tem um romance. Mas essa mulher não é a nação de Israel. É a humanidade.

A nação de Israel era propriedade exclusiva de Deus. Mas Deus não era exclusivamente de Israel. A nação de Israel deveria abrir as portas para que todas as nações se congregassem num só povo. Israel recebe a revelação do Messias, mas não detém a exclusividade da relação com o Messias. Deus nunca desejou ser marido apenas da nação de Israel. O chamado de Abraão deixou isso absolutamente claro: "Em ti serão benditas todas as famílias da terra" (Gn 12.3, RA). Todas as etnias, todas as nações. Israel deveria ser luz para todas as nações (Is 51.4).

Jesus nos abre os olhos para o caráter universal da oferta da salvação divina. Deus quer se relacionar com toda a humanidade.

Jesus abre a porta para que todas as gentes de todos os povos recebam a bênção que Deus concedeu primeiro a Israel. Israel foi portadora da revelação, jamais detentora da exclusividade da relação com Deus.

O Messias, Jesus de Nazaré, o Cristo de Deus, é quem traz essa notícia, que ainda hoje soa estranha aos ouvidos. Ainda hoje me soa estranho dizer que o Espírito Santo de Deus foi derramado "sobre toda a carne", isto é, "sobre todos os povos" (At 2.16-18). Paulo, apóstolo, foi contundente quando disse que "Cristo nos redimiu da maldição da Lei, quando se tornou maldição por nós, pois está escrito: 'Maldito todo aquele que for pendurado no madeiro'. Isso para que em Jesus a bênção de Abraão chegasse também aos gentios, para que recebêssemos a promessa do Espírito, mediante a fé" (Gl 3.13-14).

Haverá um dia quando estaremos juntos com aquela mulher siro-fenícia. No fim da história (Ap 5.8-9), será entoado o cântico novo de adoração a Jesus, o Messias de Israel, o Cristo de Deus: Tu és digno, pois foste morto, e com teu sangue compraste para Deus pessoas de toda tribo, língua, povo e nação. Tu os constituíste reino e sacerdotes para o nosso Deus, e eles reinarão sobre a terra.

Universal

Está chegando a hora, e de fato já chegou, em que os verdadeiros adoradores adorarão o Pai em espírito e em verdade. São estes os adoradores que o Pai procura. Deus é espírito, e é necessário que os seus adoradores o adorem em espírito e em verdade.
João 4.23-24

Quando encontra a mulher samaritana à beira do poço de Jacó, se poderia supor que Jesus estava na hora errada, no lugar errado, falando de um modo errado com uma pessoa errada. Um homem falando com uma mulher. Um judeu falando com uma samaritana. O poço é um ambiente feminino. Era costume em Israel que as mulheres buscassem água no poço. O servo de Abraão incumbido de encontrar uma esposa para Isaque foi ao poço, o lugar onde as mulheres, geralmente mantidas em isolamento, podiam ser vistas em público e onde era possível até mesmo falar com elas. No poço, as mulheres estão longe da vista dos pais e do marido. Alguém poderia achar que seria um bom lugar para o flerte. À beira do poço as conversas podem ser suspeitas e as palavras permitir múltiplos sentidos.

Jesus toma a iniciativa e se dirige à mulher: "Dê-me um pouco de água". Ela estranha: "Como o senhor, sendo judeu, pede a mim, uma samaritana, água para beber?". Ele insiste: "Se você conhecesse o dom de Deus e quem lhe está pedindo água, você lhe teria pedido e ele lhe teria dado água viva". A mulher suspeita: "O senhor não tem com que tirar a água, e o poço é fundo. Onde pode conseguir essa água viva? Acaso o senhor é maior do que o nosso pai Jacó, que nos deu o poço, do qual ele mesmo bebeu, bem como seus filhos e seu gado?" Jesus dá mais um passo: "Quem beber desta água terá sede outra vez, mas quem beber da água que eu lhe der nunca mais terá sede. Pelo contrário, a água que eu lhe der se tornará nele uma fonte de água a jorrar para a vida eterna". Então a mulher se rende: "Senhor, dê-me dessa água" (Jo 4.7-15).

No clímax da conversa, Jesus insere o que parece ser outro assunto e deixa absolutamente claro seu propósito ao dizer que "era necessário passar por Samaria" (Jo 4.4). "Onde está teu marido?", Jesus quer saber. No primeiro instante a mulher não compreende bem onde Jesus quer chegar. Talvez imaginasse que ele estivesse apenas interessado em saber se ela pertencia a alguém, isto é, se era casada. Então responde: "Não tenho marido". E Jesus desfere seu golpe final: "Você falou corretamente, dizendo que não tem marido. O fato é que você já teve cinco; e o homem com quem agora vive não é seu marido. O que você acabou de dizer é verdade" (Jo 4.17-18).

A mulher imediatamente percebe o que Jesus está pretendendo, e trata de tomar o seu devido lugar: "Senhor, vejo que é profeta. Nossos antepassados adoraram neste monte, mas vocês, judeus, dizem que Jerusalém é o lugar onde se deve adorar" (Jo 4.19-20). É nesse contexto que Jesus afirma que "Deus é espírito, e é necessário que os seus adoradores o adorem em espírito e em verdade" (Jo 4.24). A resposta de Jesus soa algo como: "O lugar certo, senhora, é o seu coração. O lugar certo é a sua interioridade. O lugar certo é a profundidade de sua alma e não um lugar geográfico. Há muita gente no 'lugar certo' com o coração errado. Deus está procurando os que o adoram com o coração certo".

A resposta de Jesus dá um significado completamente novo à religião de Israel. Talvez por isso os fariseus e doutores da Lei não conseguiram alcançar o que Jesus lhes estava revelando. A mulher aproveita o fato de estar diante de um profeta para tentar resolver sua angústia. Os judeus diziam que a verdadeira adoração era o sacrifício de animais, feitos pelos verdadeiros adoradores, isto é, os sacerdotes de Israel, no lugar certo, que era o templo de Jerusalém, no dia certo, que era o sábado.

A mulher sabe que tem um problema para resolver com Deus. Sabe que vive de maneira ilegítima com um homem que não é seu marido. Sabe também que deve oferecer sacrifícios a Deus para receber o perdão pelo seu pecado. "Mas, será que estou oferecendo sacrifícios no lugar certo? Será que estou adorando a Deus de maneira certa?", pergunta ao profeta.

Na religião de Israel, adorar é sacrificar. Essa mulher está querendo saber: "Quem sacrifica por mim? Que tipo de sacrifício devo oferecer? Onde devo oferecer esse sacrifício?". Jesus diz: "A senhora está certa. Na perspectiva sacrificial, a senhora deveria buscar os sacerdotes de Israel para que eles oferecessem sacrifícios em seu nome no templo de Jerusalém. Mas quero lhe fazer uma revelação: Está chegando a hora, e de fato já chegou, em que os verdadeiros adoradores adorarão o Pai em espírito e em verdade. São esses os adoradores que o Pai procura".

A hora já chegou porque o Messias está presente. Jesus inaugura uma nova era de adoração. Uma adoração que transcende os atos concretos, a localização geográfica, os dias considerados sagrados e as pessoas autorizadas a realizar ofícios religiosos. Jesus nos convida a adorar a Deus todo dia, toda hora, em todo lugar, através de tudo quanto fazemos. Jesus confere absoluta abrangência à experiência com Deus. A adoração em espírito e em verdade pode acontecer embaixo de uma árvore, na sala de uma casa, no meio do trânsito. E qualquer pessoa pode adorar; todas as pessoas podem se relacionar com Deus.

Jesus redefine o que é adorar. Antes, adorar era sacrificar. A partir de Jesus, adorar é viver em constante dependência da graça de Deus. A mulher acreditava que sua culpa seria expiada pelo sacrifício. Jesus é "o Cordeiro de Deus, que tira o pecado do mundo" (Jo 1.29). Os verdadeiros adoradores não são aqueles que sacrificam animais de vez em quando, frequentam templos de vez em quando, acendem velas de vez em quando. Os verdadeiros são aqueles que descansam no perdão de Deus concedido a toda a raça humana em virtude de seu sacrifício único e definitivo na cruz do Calvário.

Jesus é o Cordeiro sacrificado. O Cordeiro sacrificado que faz desnecessários quaisquer outros sacrifícios compensatórios para o recebimento do perdão de Deus. A partir de Jesus nenhum outro sacrifício é necessário. Na verdade, todo sacrifício é ilegítimo e uma ofensa ao próprio sacrifício de Jesus.

Aqueles que descansam no perdão de Deus desfrutam da graça de Deus. Estão livres da relação meritocrática com Deus. Não vivem de seus méritos, deméritos e sacrifícios compensatórios. Vivem da graça de Deus. Não mais se relacionam com Deus na lógica causal: fazer por merecer.

Diante do sacrifício de Jesus na cruz, cantamos, juntos, com o apóstolo Paulo: "Se Deus é por nós, quem será contra nós? Aquele que não poupou a seu próprio Filho, mas o entregou por todos nós, como não nos dará juntamente com ele, e de graça, todas as coisas?" (Rm 8.31-32).

Adorar é viver descansando na graça de Deus, a qual brota do sacrifício de Jesus na cruz do Calvário. Adorar é coisa de todo mundo, todo dia, em todo lugar, através de tudo quanto é feito com gratidão a Deus: "quer vocês comam, bebam ou façam qualquer outra coisa, façam tudo para a glória de Deus" (1Co 10.31).

A adoração legítima nasce dentro do coração daquele que compreendeu que Deus não se relaciona com seres humanos que lhe ofereçem sacrifícios. O único sacrifício aceito por Deus é o sacrifício de Jesus. Nenhum outro sacrifício humano é necessário. Nenhum é suficiente para conquistar o perdão e o favor de Deus. O perdão de Deus está concedido a todos os que invocam o seu nome única e exclusivamente por causa do sacrifício de Jesus. Adorar é viver à sombra da cruz. A sombra que cobre todo mundo, em todo lugar, o tempo todo.

SAMARITANO

Certa ocasião, um perito na lei levantou-se para pôr Jesus à prova e lhe perguntou: "Mestre, o que preciso fazer para herdar a vida eterna?". "O que está escrito na Lei?", respondeu Jesus. "Como você a lê?". Ele respondeu: "Ame o Senhor, o seu Deus, de todo o seu coração, de toda a sua alma, de todas as suas forças e de todo o seu entendimento" e "Ame o seu próximo como a si mesmo". Disse Jesus: "Você respondeu corretamente. Faça isso, e viverá". Mas ele, querendo justificar-se, perguntou a Jesus: "E quem é o meu próximo"? Em resposta, disse Jesus: "Um homem descia de Jerusalém para Jericó quando caiu nas mãos de assaltantes. Estes lhe tiraram as roupas, espancaram-no e se foram, deixando-o quase morto. Aconteceu estar descendo pela mesma estrada um sacerdote. Quando viu o homem, passou pelo outro lado. E assim também um levita; quando chegou ao lugar e o viu, passou pelo outro lado. Mas um samaritano, estando de viagem, chegou onde se encontrava o homem e, quando o viu, teve piedade dele. Aproximou-se, enfaixou-lhe as feridas, derramando nelas vinho e óleo. Depois colocou-o sobre o seu próprio animal, levou-o para uma hospedaria e cuidou dele. No dia seguinte, deu dois denários ao hospedeiro e lhe disse: 'Cuide dele. Quando eu voltar lhe pagarei todas as despesas que você tiver'. Qual desses três você acha que foi o próximo do homem que caiu nas mãos dos assaltantes?". "Aquele que teve misericórdia dele", respondeu o perito na lei. Jesus lhe disse: "Vá e faça o mesmo".
Lucas 10.25-37

O reino de Deus é a essência da mensagem de Jesus Cristo. Absolutamente distinto do reino de César, o Império Romano, que representa o reino do homem, o primeiro homem, Adão, aquele que disse *não* para Deus. Não importa se o governante é o romano César, o faraó egípcio ou o babilônio Nabucodonosor. Os reinos humanos são feitos à imagem de Adão e existem para afirmar a vontade do homem acima da vontade de Deus. Jesus anuncia a chegada do reino de Deus e convida a todos para que dele participem: "arrependam-se e creiam, o reino de Deus chegou". Por trás dos atos, das palavras e atitudes de Jesus está o reino de Deus. Por onde anda, Jesus demonstra a realidade do reino do seu Pai. Cada um dos seus gestos é uma ilustração de como seria o mundo governado por Deus. A respeito disso tratam também as controvérsias de Jesus com os religiosos do seu tempo.

Os doutores da Lei de Israel arrancaram os cabelos com Jesus. Jesus curava no sábado e comia sem lavar as mãos. Jesus conversava com prostitutas, sentava à mesa dos ímpios e pecadores e se relacionava com os estrangeiros. O comportamento de Jesus é a antítese do comportamento dos religiosos de Israel, especialmente dos mais fundamentalistas e ortodoxos. Tudo o que os homens que se consideravam justos não faziam Jesus fazia. Mais do que isso, Jesus contrariava todas as expectativas de posturas, atitudes e padrões religiosos do judaísmo da época, mas o fazia reivindicando para si mesmo a identidade messiânica, como quem diz: "Eu sou o Messias. Eu estou certo, vocês estão errados".

Mais uma vez os doutores da Lei confrontam Jesus. Dessa vez um deles quer saber o que é preciso fazer para herdar a vida eterna. O foco da pergunta não é o céu depois da morte. O doutor da Lei quer saber como pode participar do reino de Deus. Ele deseja saber o que precisa fazer para desfrutar os favores do reino messiânico: "Como posso ter certeza de que estarei entre os beneficiados quando o Messias assumir o controle e passar a reinar?", eis a questão. Jesus responde: "Está escrito na Lei. Você é mestre em Israel e não sabe? Você é doutor da Lei, o que sabe sobre isso?". O doutor da Lei responde corretamente: "Ame a Deus acima de todas as coisas e ao próximo como a si mesmo". Jesus diz: "Então você já sabe a resposta. Por que está perguntando?".

O doutor da Lei aprofunda a conversa e pergunta: "E quem é o meu próximo?". A pergunta revela uma grande incoerência na espiritualidade desse doutor da Lei de Israel: acreditar ser possível cumprir o primeiro mandamento, amar a Deus, sem ter ideia de como cumprir o segundo mandamento, amar o próximo. Os dois mandamentos são na verdade um mandamento só. Amar a Deus sobre todas as coisas e ao próximo como a si mesmo significa que o amor a Deus se torna concreto no amor ao próximo. Quem não sabe quem é o próximo, portanto, não o ama, pois não sabe a quem amar. Por essa razão, não ama também a Deus, pois amar o próximo é o jeito concreto de amar a Deus. O apóstolo João ensina: "Se alguém afirmar: 'Eu amo a Deus', mas odiar seu irmão, é mentiroso, pois quem não ama seu irmão, a quem vê, não pode amar a Deus, a quem não vê" (1Jo 4.20).

Para responder a pergunta "quem é o meu próximo?", Jesus conta a parábola do bom samaritano. O padre Antônio Vieira (1608-1697) interpreta a parábola dizendo que ela apresenta três possíveis filosofias de vida: os assaltantes, que dizem "o que é seu é meu"; os religiosos, que dizem "o que é seu é seu, o que é meu é meu", e o samaritano, que diz "o que é meu é seu".

Os assaltantes representam aqueles que vivem usurpando, roubando, levando vantagens ilícitas, desrespeitando e negligenciando direitos alheios: "o que é seu é meu". Ocupados apenas consigo, são egocêntricos e egoístas. São do tipo "vem a nós tudo, ao teu reino, nada". São pessoas que não têm olhos para nada além da própria vontade, do próprio desejo e das próprias necessidades. Incapazes da solidariedade, da generosidade e da comunhão. Roubam porque vivem para tornar exclusivamente seu tudo aquilo que é dádiva de Deus para o bem comum.

O levita e o sacerdote são os religiosos da época, representam os que vivem a cultura da indiferença a tudo que não os afeta: "O que é meu é meu, o que é seu é seu". O credo dessas pessoas é mais ou menos o seguinte: os seus problemas são problemas seus. As suas necessidades e dificuldades não me dizem respeito. O seu sofrimento é seu. As suas lágrimas são suas. Eu não me intrometo na sua vida; você não se intromete na minha.

A terceira filosofia de vida é representada pelo bom samaritano: o que é meu é seu. Ele acredita assim: você que está caído à beira do caminho é digno do meu consolo, da minha solidariedade, da minha generosidade. Vou em sua direção não para tomar para mim o que é seu, mas para compartilhar com você o que é meu. Não sou indiferente a você. Sou solidário a você. Eu e você somos uma só pessoa. Amar você é amar a mim mesmo. Amar a mim mesmo é amar você. Nesse amor comum, amamos a Deus. E em nós se manifesta o amor de Deus.

O bom samaritano pensa: "Se eu estivesse em seu lugar, gostaria que alguém me estendesse a mão e me socorresse. Portanto, para amar você como a mim mesmo, estendo-lhe a mão. Faço por você o melhor que posso. Partilho com você o que tenho. O que é meu é seu".

Jesus ilustra a espiritualidade do reino de Deus. E ela não é teórica e/ou dogmática. Não adianta ficar discutindo a Lei, debatendo doutrinas, criando celeumas ao redor de crenças, do tipo "qual é o maior dos mandamentos?". A espiritualidade do reino de Deus também não é cerimonial e ritualística. O homem caído à beira do caminho estava provavelmente ensanguentado, ou mesmo morto. Sua identidade desconhecida: seria um judeu ou um gentio? Os levitas e sacerdotes que tocassem alguém cerimonialmente impuro se tornariam igualmente impuros, e por isso impedidos de cumprir os rituais de sua religião. Entre socorrer um homem moribundo e cumprir o ritual de sua religião, escolheram o ritual. Jesus afirma que fizeram a escolha errada.

Jesus está dizendo inclusive que a espiritualidade do reino de Deus não é transcendentalista, do tipo "Como posso herdar a vida eterna, a vida depois da morte?". O reino de Deus está aqui, já começou, é agora, e a espiritualidade do reino de Deus é a espiritualidade do amor e da solidariedade. A espiritualidade do reino de Deus é ética e, por isso, necessariamente relacional. A relação espiritual dos talmidim de Jesus não é "eu + Deus". No seguimento de Jesus, a espiritualidade é "eu + você + Deus".

Ou nos percebemos iguais, como próximos, e damos um passo na direção um do outro, ou caminhamos ambos para longe de Deus. Ou escolho você para ser meu próximo, e você me escolhe para que eu seja seu próximo, ou então morremos na solidão, longe não apenas um do outro, mas sem Deus.

O grande pecado do ser humano é o egoísmo, o egocentrismo. O oposto ao reino de Deus é o reino do eu. Adão é aquele que faz do seu ego o valor máximo e absoluto. A espiritualidade de Jesus implica abrir mão do ego e voltar a ser capaz de incluir o outro, os milhares e milhares de outros, na mesa comum. Todos nós somos um.

É possível ser mestre da Lei, conhecer todas as doutrinas da religião e ainda assim ser egocêntrico, egoísta, indiferente à dor do próximo. É possível cumprir todos os ritos da religião, frequentar o templo, participar da missa, do culto, seja lá do que for, mas continuar egoísta, egocêntrico, indiferente à dor do próximo. Mas não é possível experimentar o amor de Deus e permanecer indiferente àquele que me estende a mão em busca de socorro. Não é possível viver a espiritualidade de amar a Deus e amar o próximo sem escolher se fazer próximo de quem está à beira do caminho.

Esse é o evangelho de Jesus. É simples assim. O evangelho de Jesus exige um sair de si mesmo para ir na direção do outro.

A pergunta que o doutor da Lei fez a Jesus foi equivocada. A questão não é "quem é o meu próximo?". Jesus ensina: "Olhe ao seu redor. Veja quantas pessoas existem para que você se faça próximo delas, manifestando o seu amor por Deus, amando-as com o amor de Deus em você, o amor com que você ama a si mesmo".

Os talmidim de Jesus vivem a espiritualidade ética. Caminham na trilha onde transitam aqueles que acreditam que tudo o possuem é dádiva divina para o bem comum. Nada retêm exclusivamente para si. Não roubam. Não são indiferentes. São solidários e generosos. Quando olham para você, dizem: "Bem-vindo a minha casa, bem-vindo a minha vida, bem-vindo ao reino de Deus. Onde tudo é Deus, tudo é nosso".

GRAÇA

27 Talmidim 52

> *Um homem tinha dois filhos. O mais novo disse ao seu pai: "Pai, quero a minha parte da herança". Assim, ele repartiu sua propriedade entre eles. Não muito tempo depois, o filho mais novo reuniu tudo o que tinha e foi para uma região distante; e lá desperdiçou os seus bens vivendo irresponsavelmente. Depois de ter gasto tudo, houve uma grande fome em toda aquela região, e ele começou a passar necessidade. Por isso foi empregar-se com um dos cidadãos daquela região, que o mandou para o seu campo a fim de cuidar de porcos. Ele desejava encher o estômago com as vagens de alfarrobeira que os porcos comiam, mas ninguém lhe dava nada. Caindo em si, ele disse: "Quantos empregados de meu pai têm comida de sobra, e eu aqui, morrendo de fome! Eu me porei a caminho e voltarei para meu pai, e lhe direi: Pai, pequei contra o céu e contra ti. Não sou mais digno de ser chamado teu filho; trata-me como um dos teus empregados". A seguir, levantou-se e foi para seu pai. Estando ainda longe, seu pai o viu e, cheio de compaixão, correu para seu filho, e o abraçou e beijou. O filho lhe disse: "Pai, pequei contra o céu e contra ti. Não sou mais digno de ser chamado teu filho". Mas o pai disse aos seus servos: "Depressa! Tragam a melhor roupa e vistam nele. Coloquem um anel em seu dedo e calçados em seus pés. Tragam o novilho gordo e matem-no. Vamos fazer uma festa e alegrar-nos. Pois este meu filho estava morto e voltou à vida; estava perdido e foi achado". E começaram a festejar o seu regresso. Enquanto isso, o filho mais velho estava no campo. Quando se aproximou da casa, ouviu a música e a dança. Então chamou um dos servos e perguntou-lhe o que estava acontecendo. Este lhe respondeu: "Seu irmão voltou, e seu pai matou o novilho gordo, porque o recebeu de volta são e salvo". O filho mais velho encheu-se de ira, e não quis entrar. Então seu pai saiu e insistiu com ele. Mas ele respondeu ao seu pai: "Olha! todos esses anos tenho trabalhado como um escravo ao teu serviço e nunca desobedeci às tuas ordens. Mas tu nunca me deste nem um cabrito para eu festejar com os meus amigos. Mas quando volta para casa esse seu filho, que esbanjou os teus bens com as prostitutas, matas o novilho gordo para ele!". Disse o pai: "Meu filho, você está sempre comigo, e tudo o que tenho é seu. Mas nós tínhamos que celebrar a volta deste seu irmão e alegrar-nos, porque ele estava morto e voltou à vida, estava perdido e foi achado".*
> Lucas 15.11-32

Essa é a famosa parábola do filho pródigo. Melhor seria se fosse chamada "parábola dos dois filhos". Jesus a contou para responder a um burburinho que ocorria entre os doutores da Lei e os fariseus. Eles estavam inconformados com o fato de Jesus se relacionar com os pecadores e os estrangeiros, os gentios e os samaritanos. O Messias deveria ser a referência absoluta da pureza tanto de Deus quanto de Israel. Mas frequenta mesas suspeitas e tem intimidade com gente de reputação duvidosa, má reputação e até gente de vida torta. A única explicação seria o equívoco a respeito da identidade de Jesus. Ele não era o Messias. Era um falso Messias.

Mas Jesus pensava de maneira bem diferente. Na verdade, tinha absoluta convicção de que exatamente por ser o legítimo Messias estava ao mesmo tempo incomodando alguns e sendo acolhido pelas pessoas certas. O problema não estava nas pessoas com quem Jesus jantava. Estava nas pessoas que se recusavam a partilhar a mesa. Ao conviver com pecadores, Jesus está dizendo a todos os mestres da Lei e fariseus, zelosos da religião de Israel: "Vocês me rejeitam e me acusam de ser um falso Messias. Vocês me questionam, me rejeitam e agora vêm me criticar porque me dou a outra gente".

A parábola dos dois filhos está no mesmo contexto da parábola do bom pastor, que deixa 99 ovelhas no aprisco e vai em busca de uma única ovelha perdida, e da parábola da mulher que empreende um esforço aparentemente desproporcional e varre a casa toda em busca de uma única moedinha perdida. Jesus está confrontando Israel. Está dizendo que a pergunta dos doutores da Lei e fariseus está invertida. A pergunta certa não é por que Jesus vai em busca dos pecadores e estrangeiros. A pergunta é porque Israel não fez isso antes. Por que os mestres da Lei e os fariseus não convidaram os estrangeiros e os pecadores para a mesa do reino de Deus?, Jesus quer saber.

Os mestres de Israel haviam perdido o propósito de sua vocação. O propósito de Deus ao chamar Abraão era criar uma grande nação que abençoasse "todas as famílias da terra" (Gn 12.3, RA). Os horizontes de Deus jamais foram limitados pelas fronteiras étnicas, religiosas, culturais ou quaisquer outras forças divisoras da unidade da humanidade. O reino de Deus é universal, é abrangente, é inclusivo. O reino de Deus é para todos aqueles que dele querem fazer parte. Com um detalhe a mais. O reino de Deus não se baseia na virtude humana. Não se sustenta no mérito humano. O reino de Deus se baseia na generosidade de Deus, que escolhe se dar àqueles que têm prazer em sua presença e sua companhia.

As utopias da minha juventude foram regadas pela água fresca do pensamento cristão de Rubem Alves. Sua leitura da parábola dos dois filhos é extraordinária. O filho que desperdiçou a vida e os bens numa terra distante, vivendo dissolutamente, volta para casa envergonhado e cheio de culpa. Volta consciente de sua falta, arrependido da ofensa grave que cometeu contra seu pai. Chega com a disposição de confessar seu pecado e pedir perdão. No caminho de volta imagina o que dizer ao pai: "Pai, pequei contra o céu e contra ti. Não sou mais digno de ser chamado teu filho; trata-me como um dos teus empregados".

Mas o pai que todos os dias mantém os olhos fixos no horizonte, aguardando o retorno do filho, tão logo percebe a silhueta vindo em sua direção, corre, abraça o filho e sussurra algo aos seus ouvidos. Rubem Alves dizia que as palavras que o pai disse ao filho pródigo foram: "Meu filho, eu não somo débitos".

A cena seguinte da parábola é o retorno do filho mais velho. Ele não vem de uma terra distante, e não estava desperdiçando a vida e os bens. Ele volta do campo de trabalho, onde obedientemente servia ao pai. Ao chegar e perceber a festa na casa do pai, que comemorava a volta do filho que "estava morto e reviveu; tinha-se perdido e foi achado" (Lc 15.32, RA), se recusa a participar. O pai deixa a festa e vai ao encontro do segundo filho, que discursa a lógica dos que se sentem injustiçados: "Olha! Todos esses anos tenho trabalhado como um escravo ao teu serviço e nunca desobedeci às tuas ordens. Mas tu nunca me deste nem um cabrito para eu festejar com os meus amigos. Mas quando volta para casa esse teu filho, que esbanjou os teus bens com as prostitutas, matas o novilho gordo para ele!" (Lc 15.29-30).

O pai então o abraça e sussurra algo aos seus ouvidos. Rubem Alves sugere que as palavras foram: "Meu filho, eu não somo créditos".

Essa é a síntese da graça de Deus. Deus que nos abraça, nos aperta no seu colo e sussurra em nossos ouvidos: "Eu não somo débitos. Eu não somo créditos". Deus nos diz: "Eu não me relaciono com você por causa das suas virtudes. Eu não deixo de me relacionar com você por causa dos seus deméritos e dos seus defeitos. Você não tem créditos comigo, mas também não tem débitos. Você não tem débitos, mas também não tem créditos. Eu me relaciono com você porque o amo. Você é meu filho amado. Você é minha filha amada".

Isso explica não apenas nossa relação com Deus, mas nossa própria existência. Deus é autossuficiente. A Deus nada falta. Mas ele escolhe repartir-se conosco, e nos cria seres humanos à sua imagem e sua semelhança. A criação é um ato voluntário de Deus. Não há uma causa externa a Deus que o faça nos criar. Ele não é obrigado. Ele não está sujeito a uma causa de necessidade. Deus é autodeterminado, é autossuficiente. Mas não é ensimesmado. Deus é amor. Porque é amor, cria. Porque é amor, doa-se. E doa-se em termos absolutos, doa-se sacrificialmente. Doa-se porque escolheu doar-se. Independente de nossos méritos e das nossas virtudes.

Não há nada que você possa fazer para que Deus o ame mais. Não há nada que você possa fazer para que Deus o ame menos. O amor de Deus por nós não se baseia naquilo que fazemos ou deixamos de fazer. Não se sustenta em nossos méritos ou deméritos. O amor de Deus se baseia em sua própria autodeterminação de amar.

É esse amor que nos constrange. Não amamos a Deus para que ele nos ame. Não obedecemos a Deus para conquistar méritos diante dele, para que nos abençoe e seja gracioso conosco. Servimos e obedecemos a Deus não porque temos medo de suas maldições. Amamos a Deus em resposta ao amor que ele tem por nós. Amamos a Deus porque ele nos amou primeiro. Amamos porque ele nos ensinou a amar. Amamos porque ele nos amou e nos tirou de dentro de nós mesmos. Deus nos ensinou que a vida feliz é a vida autodoada, é a vida voluntariamente entregue para o outro, é a vida de amor.

Os dois filhos da parábola tinham em comum o desejo de viver para si mesmos. Ambos acreditavam que Deus atrapalhava seus projetos de vida. O mais novo dizia: "Quero viver do jeito que bem entender, mas meu pai não deixa. Então, vou pegar a minha parte da herança e vou embora viver em outro lugar". O filho mais velho, por sua vez, dizia: "Estou sendo o melhor filho que posso, mas meu pai não me recompensa. Não reconhece meu esforço, e não satisfaz meus desejos e vontades". Eram meninos egocêntricos e egoístas, voltados para si mesmos, e que precisavam aprender com seu pai que o segredo da vida não é a satisfação do ego. O segredo da vida é a autodoação em amor.

PECADO

Um homem tinha dois filhos. O mais novo disse ao seu pai: "Pai, quero a minha parte da herança". Assim, ele repartiu sua propriedade entre eles. Não muito tempo depois, o filho mais novo reuniu tudo o que tinha e foi para uma região distante; e lá desperdiçou os seus bens vivendo irresponsavelmente. Depois de ter gasto tudo, houve uma grande fome em toda aquela região, e ele começou a passar necessidade. Por isso foi empregar-se com um dos cidadãos daquela região, que o mandou para o seu campo a fim de cuidar de porcos. Ele desejava encher o estômago com as vagens de alfarrobeira que os porcos comiam, mas ninguém lhe dava nada. Caindo em si, ele disse: "Quantos empregados de meu pai têm comida de sobra, e eu aqui, morrendo de fome! Eu me porei a caminho e voltarei para meu pai, e lhe direi: Pai, pequei contra o céu e contra ti. Não sou mais digno de ser chamado teu filho; trata-me como um dos teus empregados". A seguir, levantou-se e foi para seu pai [...].
LUCAS 15.11-20

O ser humano que não conhece a culpa não é diferente do animal. O filósofo Luiz Felipe Pondé parafraseia Nelson Rodrigues, que disse: "Tire a imortalidade do homem e ele cai de quatro", para afirmar: "Tire a culpa e o homem cai de quatro". E continua: "a literatura está cheia de exemplos nos quais o herói ou a heroína chora de desespero pela consciência de sua responsabilidade no mal do mundo. Entre os vários erros cometidos pela cultura moderna, um deles é tentar negar que a culpa seja um instrumento essencial de humanização. Não existe experiência moral sem culpa".[4]

Pequei. Eu pequei. Contra o céu e contra ti. A experiência humana de admitir o seu pecado é extraordinária. Na parábola do filho pródigo, Jesus diz que o homem que reconheceu seu pecado "caiu em si". Alguém disse que o homem arrependido não apenas "caiu em si", mas também, e principalmente, "caiu de si". Caindo de si, despertou. De repente aquele que estava na escuridão recebeu luz e enxergou tudo. Inclusive a si mesmo. Ao tomar consciência do seu pecado e pronunciar "pequei contra o céu e contra ti", aquele que estava perdido, foi achado, o que estava morto, voltou à vida, disse Jesus.

O senso comum acredita que pecado é a quebra de um mandamento de Deus. Em sua definição mais elementar é isso mesmo: "Todo aquele que pratica o pecado transgride a Lei; de fato, o pecado é a transgressão da Lei" (1Jo 3.4). Pecar é fazer coisas erradas, ou deixar de fazer coisas certas. Pecar é matar, é roubar, é mentir, cobiçar, essas coisas... pecados. Mas isso deixa o pecado restrito à dimensão moral.

A compreensão mais profunda de pecado nos leva à dimensão que a filosofia e a teologia chamam de ontológica, que trata não apenas dos aspectos morais ou éticos, isto é, dos comportamentos, mas da própria natureza e essência do ser em si. Em seu sentido ontológico, portanto, pecado é o rompimento da relação entre o homem e Deus. Pecado é a pretensão de independência humana em relação a Deus. É a criatura dizendo ao Criador: "Eu não preciso de ti, eu me sustento, eu me basto. Eu não quero mais viver dentro da tua casa, eu não preciso que você me conceda vida, vivo por mim mesmo. Quero viver minha própria vida, quero ser dono do meu nariz".

O filho pródigo, que pediu ao pai sua parte da herança e partiu para uma terra distante, fez exatamente isso. Naquela época havia a possibilidade de receber a herança mesmo antes da morte do pai. Mas não teria o direito de usufruir a herança recebida. Na situação hipotética criada pela parábola contada por Jesus, o filho mais novo solicitaria sua parte da herança. O pai separaria a parte do filho mais velho, que tinha direito a dois terços por ser o primogênito. O terço do filho mais novo ficaria reservado, o que significava que o pai não poderia vender ou negociar. O usufruto da herança, o filho mais novo teria apenas após a morte do pai. Na parábola, o filho mais novo comete um agravo sem medida. Ele solicita o usufruto imediato. O que ele na verdade disse ao pai foi mais ou menos o seguinte: "Pai, é o seguinte, eu gostaria de viver a minha vida do meu jeito, mas o senhor me atrapalha. Eu preferia mesmo que o senhor estivesse morto. Mas, como o senhor está demorando para morrer, gostaria de receber minha parte da herança agora e que o senhor me desse usufruto imediato".

Em termos práticos, o filho mais novo mata o pai. Com o pai fora de cena, ele se assume como referência única e absoluta da própria existência. Passa a viver exclusivamente para satisfazer seus desejos, suas vontades e necessidades, ou pseudonecessidades. Torna-se um ego absoluto.

Vivendo da herança, consumindo e deixando-se consumir, vai esgotando suas posses. O menino se esquece de que elas são limitadas. Aos poucos, vai se desfigurando e desumanizando. Chega ao ponto de desejar comer a lavagem dos porcos. Ninguém sai da mesa do pai na segunda à noite para sentar com os porcos no almoço da terça. O processo de bestialização e desumanização é longo. Não raras vezes imperceptível.

Isso explica muito da experiência humana com relação a Deus.

Pecado é matar Deus. Dizer "não quero mais saber de ti". Essa é a sabedoria da poesia hebraica:

> Diz o tolo em seu coração: "Deus não existe". Corromperam-se e cometeram atos detestáveis; não há ninguém que faça o bem. O Senhor olha dos céus para os filhos dos homens, para ver se há alguém que tenha entendimento, alguém

que busque a Deus. Todos se desviaram, igualmente se corromperam; não há ninguém que faça o bem, não há nem um sequer.

Salmos 14.1-3

Os homens vivemos de favor. Não podemos sustentar a própria existência. Não temos recursos em nós mesmos. Vivemos a vida emprestada por Deus. Vivemos dos recursos que ele nos concede. Deus é a fonte da nossa vida. Paulo, apóstolo, fez referência aos poetas gregos quando anunciou o evangelho do reino de Deus aos gregos, em Atenas:

> O Deus que fez o mundo e tudo o que nele há é o Senhor do céu e da terra, e não habita em santuários feitos por mãos humanas. Ele não é servido por mãos de homens, como se necessitasse de algo, porque ele mesmo dá a todos a vida, o fôlego e as demais coisas. De um só fez ele todos os povos, para que povoassem toda a terra, tendo determinado os tempos anteriormente estabelecidos e os lugares exatos em que deveriam habitar. Deus fez isso para que os homens o buscassem e talvez, tateando, pudessem encontrá-lo, embora não esteja longe de cada um de nós.

Atos 17.24-27

Quando o primeiro homem, no jardim a leste do Éden, disse *não* a Deus, assinou para si a sentença de morte. Escolheu viver "fora de Deus". Mas fora de Deus nada há e nada é. Mas Adão não morreu de imediato. Sobreviveu com uma carga de energia residual. Aos poucos a energia foi chegando ao fim. À medida que a energia residual, a parte da herança que está sendo consumida, vai se esgotando, o homem vai se desfigurando, se bestializando, isto é, se desumanizando. Nesse momento, "à mesa com os porcos", há duas possibilidades:

1. Adão cai em si/cai de si e reconhece que vive do favor, da graça, da bondade e do amor de Deus.
2. Ou morre.

Na parábola de Jesus, o rapaz caiu em si. Tomou consciência de sua condição ontológica, isto é, sua dependência do pai, e voltou para casa.

Pecado não é o que você faz ou deixa de fazer, certo ou errado. O pecado em sua dimensão moral é como se minha mão resolvesse bater em mim. Ela se torna rebelde ao comando do meu cérebro e decide agir com autonomia em relação a mim mesmo. E age contra mim. Mas, se minha mão quiser sair do meu corpo e me disser: "Eu quero uma vida independente, não quero mais fazer parte de você", então a questão não é apenas moral, é ontológica. Vou olhar para minha mão e dizer: "Não faça isso, você vai morrer". Mas a mão prepotente e pretensiosa vai me dizer: "Não, eu não vou morrer". Então, ela se autoamputa de mim, cai no chão, fica se debatendo, olhando para mim e dizendo: "Viu? Não morri!".

Na verdade ela está se debatendo com energia residual. Mas ela vai morrer. Ela não existe fora de mim, ela não sobrevive fora do meu corpo. Assim também não existimos fora de Deus, pois vivemos da vida que ele mesmo nos concede: "nele vivemos, nos movemos e existimos" (At 17.28).

É verdade. Tire a culpa do homem e ele cai de quatro. Não é sem razão que a postura dos adoradores é de joelhos. Quem se inclina para adorar a Deus começa a se colocar em pé.

Vocês são daqui de baixo; eu sou lá de cima. Vocês são deste mundo; eu não sou deste mundo. Eu lhes disse que vocês morrerão em seus pecados. Se vocês não crerem que Eu Sou, de fato morrerão em seus pecados.
João 8.23-24

O evangelho de João foi escrito para que os leitores cressem que Jesus é o Cristo, isto é, o Messias e, crendo, recebessem vida em seu nome (Jo 20.30-31). Essas palavras de Jesus estão absolutamente alinhadas com a narrativa de João, que começa sua narrativa biográfica apresentando Jesus como um rei da linhagem de Davi (Jo 1.49). Mas Jesus se apresenta como o Messias esperado por Israel (Jo 4.25-26).

A expectativa da nação de Israel a respeito do seu Messias era política. Todos esperavam que o Messias fizesse contra Roma o que Moisés fez contra o Egito. Acreditavam que o reino do Messias levaria Israel aos mesmos patamares de prosperidade dos tempos do rei Davi. Mas Jesus está muito além dessa limitação sócio-histórica e política. As figuras anteriores eram apenas metáforas do reino de Deus.

Jack Miles, ex-jesuíta e doutor em línguas do Oriente, faz um bom resumo comparativo. A expectativa do povo de Israel era:

Em vez do faraó	César
Em vez de servidão no Egito	Opressão de Roma
Em vez da conquista de Canaã	A reconquista da Judeia
Em vez de Moisés e Davi	O Messias como profeta e rei

Mas, de fato, Jesus oferece outra perspectiva para a intervenção de Deus na história.

Em vez de César	O Demônio
Em vez da opressão de Roma	Servidão ao pecado
Em vez da reconquista da Judeia	A vida eterna
Em vez do Messias como profeta e rei	O Messias como Deus encarnado

A maneira como Jesus se refere a si mesmo não deixa dúvidas de que reivindica não apenas ser o Messias esperado por Israel, mas também e principalmente o próprio Deus encarnado.

Jesus ousa afirmar a respeito de si mesmo: "Eu Sou".

- Eu sou a luz do mundo.
- Eu sou a ressurreição e a vida.
- Eu sou o pão da vida.
- Eu sou a porta das ovelhas.
- Eu sou a videira verdadeira.
- Eu sou o bom pastor.
- Eu sou o caminho, a verdade e a vida.

Finalmente, a afirmação mais extraordinária e surpreendente de Jesus: Eu sou um com o Pai.

Jesus diz ao povo de Israel: "Vocês são descendentes de Abraão. Mas, antes de Abraão, 'Eu sou'". Estas afirmações de Jesus: "Eu Sou", "Eu Sou", "Eu Sou" são surpreendentes e causam um impacto de repercussão imensurável na consciência dos judeus. "Eu Sou" é a resposta que Deus oferece a Moisés quando ele pergunta à voz que se pronuncia de dentro da sarça incandescente: "Qual é o seu nome?", como se dissesse "eu não tenho nome" ou "eu sou aquele cujo nome é impronunciável". Deus deixa Moisés praticamente sem resposta.

O nome distingue e identifica, define e delimita. Deus não pode ser identificado entre outros deuses porque não apenas não existem outros deuses, como também e principalmente nada há que se compare a Deus. Ele não pode ser definido na categoria das realidades existentes. Porque eterno, Deus não pode ser delimitado. A eternidade é ausência de limites e medidas.

Paulo, apóstolo, se refere a Deus como aquele que "dá vida aos mortos e chama à existência coisas que não existem, como se existissem" (Rm 4.17). "Eu Sou" dá sustentação a tudo o que existe. Todas as coisas existem. Apenas Deus "é". Tudo o que existe, nele, Deus, subsiste. Aquilo que existe vem à existência porque Deus as chama do nada ao ser. Houve um tempo em que não existiam, vieram a existir e poderão deixar de existir.

Nunca houve um tempo em que Deus não fosse, nunca haverá um tempo em que Deus não será. Deus "é". Esse é o significado das palavras do autor da carta aos Hebreus: Deus (Jesus Cristo) "é o mesmo, ontem, hoje e para sempre" (13.8).

Jamais em Israel alguém ousou pronunciar a respeito de si mesmo "eu sou". Na língua hebraica não é possível conjugar o verbo "ser". Ninguém pode dizer "Eu sou". Por exemplo, se quisesse dizer "eu sou brasileiro", eu deveria dizer "eu brasileiro". Eu não posso dizer "eu sou Ed René". Tudo o que posso dizer é "eu Ed René". Porque eu existo, não sou. Deus é. Eu existo.

Quando Jesus diz "Eu sou" lá de cima, vocês são daqui de baixo, eu não sou deste mundo, mas vocês são deste mundo, surge a acusação de que ele está blasfemando. Está se igualando ao "Eu Sou" que se revelou a Moisés.

Jesus diz a seus ouvintes: "Se vocês não crerem que Eu Sou, de fato morrerão em seus pecados" (Jo 8.24). A morte é o fim de quem não é. Jesus é o homem que "veio do alto", é a encarnação daquele que é. A todos convida para que creiam em sua perfeita humanidade, em sua messianidade, e em sua divindade. Jesus é homem perfeito, é o legítimo Messias, é Deus encarnado.

Crer em Jesus implica a participação em sua própria natureza divina. O apóstolo Pedro afirma que esta é a grande esperança que temos em Cristo, a maior promessa e a mais sublime que recebemos de Deus: "ele nos deu as suas grandiosas e preciosas promessas, para que por elas vocês se tornassem participantes da natureza divina" (2Pe 1.4).

Os cristãos da tradição do Oriente interpretaram as palavras do evangelho de João dessa maneira. João disse que a todos que o acolheram Jesus "deu-lhes o poder de serem feitos filhos de Deus" (1.12, RA). Ireneu de Lyon (130-202) acreditou que "o ser humano recebeu a ordem de identificar-se com Deus. Recebeu o chamado a divinizar-se". Chega a dizer que "Deus se fez homem para que o homem pudesse se fazer Deus" ou "pudesse ser feito Deus". Gregório Nazianzeno (329-390) disse que "em Jesus nós nos tornamos divinos", seguindo a mesma lógica de Basílio de Cesareia (330-379), que ensinava que "o homem é criatura, mas recebeu de Deus a ordem de tomar-se deus". Também Cirilo de Alexandria (378-444) acreditava que "se Deus se tornou homem, o homem se tornou deus".

A compreensão de que seremos absorvidos por Deus, em Deus, e participaremos da comunhão das três pessoas divinas, o Pai, o Filho, o Espírito Santo, chama-se *theosis* ou deificação. Essa corrente de pensamento aceita pela Igreja oriental encara a obra de Jesus muito além das dimensões políticas e sociais. Extrapola a fronteira étnica, de um povo, o povo de Israel. Fala de Deus não mais como "Deus dos hebreus", mas Criador dos céus e da terra, de todo o universo, Pai de todos, sobre todos, abençoando toda a humanidade.

A ideia comunicada na reivindicação de Jesus ao afirmar a respeito de si mesmo "Eu Sou" indica que existe uma realidade que sustenta todas as outras. A essa realidade chamamos de "Deus". Deus é. E faz existir todas as outras coisas. Jesus é aquele que na qualidade de ser humano vive a plenitude do que significa existir em Deus. Jesus compartilha "Eu Sou" com toda a humanidade. Nele podemos discernir o mistério de nosso próprio ser e existir. Abandonados em nós mesmos, deixaremos de existir. Jesus não apenas nos traz essa revelação, mas nos leva à comunhão com Deus, que a tudo dá origem e tudo guarda na palma da mão.

A afirmação de Jesus "Eu Sou" é um grande mistério. Aquele que não se deixa absorver no "Eu Sou" acaba deixando de existir, morre em seus próprios pecados.

IGREJA

> *Chegando Jesus à região de Cesareia de Filipe, perguntou aos seus discípulos: "Quem os outros dizem que o Filho do homem é?" Eles responderam: "Alguns dizem que é João Batista; outros, Elias; e, ainda outros, Jeremias ou um dos profetas". "E vocês?", perguntou ele. "Quem vocês dizem que eu sou?". Simão Pedro respondeu: "Tu és o Cristo, o Filho do Deus vivo". Respondeu Jesus: "Feliz é você, Simão, filho de Jonas! Porque isto não lhe foi revelado por carne ou sangue, mas por meu Pai que está nos céus. E eu lhe digo que você é Pedro, e sobre esta pedra edificarei a minha igreja, e as portas do Hades não poderão vencê-la".*
> MATEUS 16.13-18

A palavra grega *ekklesia* aparece 114 vezes em todo o Novo Testamento. Em pelo menos 5 ocasiões indica um ajuntamento de pessoas, uma multidão em praça pública, uma reunião sem nenhuma conotação religiosa. Mais de 90 vezes a palavra se refere a uma comunidade de cristãos específica, como por exemplo a *ekklesia* de Deus na cidade de Corinto (1Co 1.2) ou a *ekklesia* que se reúne na casa de Áquila e Priscila, na cidade de Roma (Rm 16.4). Outras 9 vezes, a palavra pode ser compreendida como a totalidade do povo de Deus, em todos os lugares e em todos os tempos, como na declaração do apóstolo Paulo, que propunha que "mediante a *ekklesia* [de Jesus Cristo], a multiforme sabedoria de Deus se tornasse conhecida dos poderes e autoridades nas regiões celestiais" (Ef 3.10).

Traduzida em todo o Novo Testamento por "igreja", a palavra *ekklesia* originalmente se referia à assembleia dos cidadãos gregos. Em sua conversa com o apóstolo Pedro, Jesus afirma mais ou menos o seguinte: "Assim como os cidadãos gregos têm sua assembleia, eu também vou reunir pessoas ao meu redor. Eu também terei a minha comunidade. Eu vou formar a minha *ekklesia*".

Jesus institui sua *ekklesia* no contexto de uma pesquisa de opinião que, acredito, ele encomendou aos seus discípulos: "Quem os outros dizem que o Filho do homem é?" (Mt 16.13). Filho do homem era um dos títulos messiânicos. Àquela altura Jesus já havia assumido abertamente perante seus talmidim que ele era o Messias. Mas queria saber o que o povo pensava a seu respeito. "Alguns dizem que é João Batista; outros, Elias; e, ainda outros, Jeremias ou um dos profetas" (Mt 16.14), foi o relatório da pesquisa. O povo não conseguiu perceber que Jesus era o Messias, e muito menos foi capaz de imaginar que Jesus era Deus encarnado.

"E vocês?", perguntou Jesus, "quem vocês dizem que eu sou?" (Mt 16.15). "Simão Pedro respondeu: 'Tu és o Cristo, o Filho do Deus vivo'. Respondeu Jesus:

'Feliz é você, Simão, filho de Jonas! Porque isso não lhe foi revelado por carne ou sangue, mas por meu Pai que está nos céus'" (Mt 16.16-17).

A fé em Jesus como Deus encarnado ganha cores vivas nessa conversa entre Jesus e Pedro. Jesus sabe perfeitamente que a resposta de Pedro não é resultado de uma compreensão lógica, ou da interpretação das Escrituras hebraicas, nem mesmo da leitura de Moisés e dos profetas. A fé em Jesus como Deus encarnado não é proveniente de uma dedução a partir de uma investigação. Por essa razão Jesus afirma que o testemunho de Pedro "não lhe foi revelado por carne ou sangue, mas por meu Pai que está nos céus" (Mt 16.17). Somente a partir dessa revelação Jesus declara sua *ekklesia*: "Eu lhe digo que você é Pedro, e sobre esta pedra edificarei a minha igreja" (Mt 16.18).

A revelação a respeito de ser Jesus o Filho do Deus vivo implica duas verdades a respeito de sua *ekklesia*. A primeira é "a pedra sobre a qual está edificada a igreja". A segunda é o critério de participação na *ekklesia* de Jesus.

Algumas pessoas acreditam que a "pedra" é Pedro, tratado na tradição da cristandade como "o primeiro papa", como se Jesus tivesse dito: "Tu és Pedro, tu és a pedra", fazendo um jogo de palavras entre Cefas, o nome de Pedro, que significa "pedra". Mas não foi assim que o próprio Pedro, apóstolo, compreendeu as palavras de Jesus. Ao escrever sua epístola, Pedro afirma que Jesus é a Pedra:

> À medida que se aproximam dele, a pedra viva — rejeitada pelos homens, mas escolhida por Deus e preciosa para ele — vocês também estão sendo utilizados como pedras vivas na edificação de uma casa espiritual para serem sacerdócio santo, oferecendo sacrifícios espirituais aceitáveis a Deus, por meio de Jesus Cristo. Pois assim é dito na Escritura: "Eis que ponho em Sião uma pedra angular, escolhida e preciosa, e aquele que nela confia jamais será envergonhado". Portanto, para vocês, os que creem, esta pedra é preciosa; mas para os que não creem, "a pedra que os construtores rejeitaram tornou-se a pedra angular", e, "pedra de tropeço e rocha que faz cair".
>
> 1Pedro 2.4-8

Jesus Cristo é a principal pedra de esquina. Jesus Cristo é a pedra angular. Jesus Cristo é a primeira pedra que sustenta todo o edifício. Mas de qual Jesus Cristo estamos falando? O grande mestre da moral, o grande profeta, o rebelde revolucionário, o mais iluminado dos espíritos que já pisou na terra? A pedra sobre a qual a igreja está edificada é Jesus Cristo, o filho do Deus vivo. A pedra sobre a qual a igreja está construída é Jesus, mas Jesus conforme declarado por Pedro.

Isso estabelece a segunda verdade a respeito de Jesus e sua Igreja. O critério para a participação da comunidade de Jesus Cristo é a confissão de que ele, Jesus, é o

Cristo, o filho do Deus vivo. Todos aqueles que se prostram diante de Jesus Cristo e o adoram como Deus encarnado fazem parte da comunidade de Jesus.

A Igreja de Jesus não é composta pelo critério étnico, como a assembleia dos cidadãos gregos ou o povo de Israel na Antiga Aliança. A Igreja de Jesus é para todos os povos. A revelação que Deus concede a Pedro a respeito de quem é Jesus, na verdade, é uma revelação para toda a humanidade.

Em sua dimensão mais profunda e sua face mais bela, a Igreja é o corpo místico de Cristo. O Cristo que instituiu sua Igreja habita em todos aqueles que dela fazem parte.

> Esse mistério permaneceu sem ser esclarecido por muito tempo, mas agora é desvendado. Deus quis que todos, não apenas os judeus, conhecessem esse rico e glorioso segredo por dentro e por fora, independentemente de origem e de filiação religiosa. O mistério, em poucas palavras, é este: Cristo está em vocês, e isso dá a vocês a esperança de participar da glória de Deus. Simples assim. Esse é o âmago da Mensagem.
>
> Colossenses 1.26-27, A Mensagem

Escolha

[Palavras do sumo sacerdote Caifás]:"Não percebeis que vos é melhor que morra um homem pelo povo, e que não pereça toda a nação".
João 11.50

O julgamento de Jesus realizado no Sinédrio, o tribunal religioso judaico, teve duas conotações: uma religiosa e outra política.

Jesus reivindica ser o Messias, e isso incomodava muito os fariseus, adeptos da mais radical e fundamentalista das seitas judaicas da época. Mas Israel sempre conviveu com falsos messias. Até hoje, em Jerusalém, muitas pessoas entram em surto e saem pelas ruas se autoproclamando messias. São tratadas como pacientes psiquiátricos. Mas com Jesus foi diferente. Sua reivindicação era assinada por sinais e prodígios, sua autoridade no domínio da Lei de Moisés era singular e sua fama se espalhava como água. Se isso não bastasse, Jesus reivindicava ser não só o Messias, mas o próprio Deus encarnado. Seu crime não era apenas de falsa identidade ou sedição. Aos olhos dos judeus radicais, o principal crime de Jesus era a blasfêmia.

As palavras de Jesus: "Eu e o Pai somos um" (Jo 10.30), "Quem me vê, vê o Pai" (Jo 14.9), "Eu lhes afirmo que antes de Abraão nascer, Eu Sou!" (Jo 8.58) soam aos ouvidos dos judeus como a mais absurda blasfêmia.

Os crimes religiosos eram deixados por Roma a critério de suas colônias. A única preocupação de Roma era política. Sem dó nem piedade, Roma esmagava toda e qualquer mínima expressão de rebelião ou revolta contra a autoridade absoluta de César, o Imperador. Mas a blasfêmia era um assunto interno dos judeus na Palestina ocupada. E o Sinédrio não tinha autoridade para executar seus criminosos religiosos. O ardil seria conseguir demonstrar que Jesus era uma ameaça política para que Roma o crucificasse. Caso contrário, as autoridades judaicas nada poderiam contra ele. Na verdade, os fariseus e doutores da Lei já haviam tentado toda sorte de artimanhas: ameaçar, desacreditar, ridicularizar, desmoralizar e fazê-lo tropeçar na interpretação e prática da Lei de Moisés. Tudo em vão. O povo estava com Jesus, e seus seguidores se multiplicavam exponencialmente. Era preciso matar Jesus. E os judeus de então estavam deliberados a fazê-lo (Jo 5.18; 7.1).

O sumo sacerdote Caifás parece enxergar que as evidências apontam para o fato de Jesus ser o Messias. Mas há um problema. Ele também diz que é Deus. E isso é inadmissível. A solução encontrada por Caifás e orquestrada dentro do Sinédrio foi demonstrar que Jesus é um criminoso cujos crimes extrapolam a questão religiosa. O problema não é que Jesus está causando uma celeuma religiosa interna na colônia judaica. O que Jesus está fazendo é reivindicar uma autoridade superior à autoridade de César. No Sinédrio, Jesus é condenado por blasfêmia. Mas perante as autoridades romanas é acusado de crime de sedição: conspirar contra o imperador César e contra o domínio de Roma sobre Israel.

Tudo leva a crer que os fariseus e doutores da Lei reconheceram que não havia argumentos para negar que Jesus era o Messias. Mas ainda assim o rejeitaram. Admitir que Jesus era o Messias exigia também um posicionamento a respeito de sua outra reivindicação: a unidade com Deus. Os líderes judaicos seriam obrigados não apenas a rever toda sua estrutura religiosa e política, mas toda a sua compreensão e seu discernimento a respeito de Deus, o Deus de Israel.

Assim, aos poucos foram rejeitando Jesus. Persistiram em negar e rechaçar todos os sinais oferecidos por Jesus a respeito de sua messianidade. A partir de determinado momento, aconteceu que não apenas eles disseram *não* para Jesus, mas também Deus disse *não* para eles. E Deus lhes endureceu o coração.

A declaração de Caifás: "É melhor que morra um homem pelo povo" e o acordo nos bastidores para que Jesus seja morto estabelece um divisor de águas na relação entre Jesus e os líderes religiosos judaicos, e principalmente entre Jesus e a comunidade de Israel. Esse é o momento crucial da rejeição. Esse é o momento da afirmação pragmática da rejeição a Jesus.

Talvez Caifás tenha pensado o seguinte: "Vamos entregá-lo a Roma para que ele seja crucificado como um rebelde que está incitando a comunidade de Israel contra César. É melhor que César mate apenas este rebelde, este criminoso político, do que esmague toda a nação. Se o imperador desconfiar que estamos dando ouvidos a este homem, e que o consideramos nosso Messias, Roma não terá piedade de nós. Mas, se ele for mesmo o verdadeiro Messias, que se entenda com Roma".

No momento de sua crucificação, Jesus foi provocado: Desça da cruz, mostre que você é de fato quem disse que é. Talvez pela mesma razão, Pedro investe contra o soldado romano no Getsêmani quando da prisão de Jesus. E há quem diga que o mesmo raciocínio guiou Judas, que acreditava que com seu ato de traição estava apenas precipitando o confronto de Jesus com Roma.

Parece que havia uma expectativa geral de que em algum momento Jesus finalmente abriria as vestes e saltaria como um super-herói para triunfar espetacularmente sobre César e os exércitos romanos, assim como Moisés saiu vitorioso contra as forças do faraó, no Egito. Ninguém conseguiu compreender a profundidade da revelação feita por João Batista: "Eis o Cordeiro de Deus que tira o pecado do mundo" (Jo 1.29, RA). Ninguém conseguiu ir tão longe no discernimento da revelação de Jesus: "O meu Reino não é deste mundo" (Jo 18.36). Ninguém jamais alcançou o mistério do compromisso de Jesus com sua cruz (Mt 16.21-28).

Jesus estava absolutamente consciente de sua missão. Sabia exatamente a tarefa que havia recebido do Pai. Reiteradas vezes disse a seus talmidim: "Eu vou para Jerusalém, ser preso, morrer e ressuscitar ao terceiro dia. Eu não sou um líder político, eu não vim vencer o homem, mas vencer as forças do mal e da maldade. Eu vim vencer a morte. Eu não vim apenas dar uma condição favorável a Israel na história, mas redimir toda a humanidade para o reino de meu Pai".

As duas dimensões do mistério de Jesus Cristo, histórica e eterna, embora estejam entrelaçadas, são distintas. Uma supera em muito a outra. A nação de Israel, com sua identidade étnica, sua estrutura política e religiosa, é o berço histórico para a revelação do Messias. E o Messias é o arquétipo divino revelado a toda a humanidade.

O Messias é a autoridade sobre o povo de Israel na história. O Cristo de Deus, o filho do Deus vivo, é Deus feito carne, habitando entre nós, digno de todo louvor e adoração. O reino político de Israel e seu Messias são figuras do reino de Deus e seu Cristo. Um para um povo etnicamente delimitado. Outro para pessoas de toda raça, tribo, língua e nação. O povo de Israel é formado pelos descendentes de Abraão. Mas o verdadeiro Israel de Deus, a verdadeira descendência de Abraão, foi comprado pelo sangue de Jesus derramado na cruz do Calvário e na vitória de sua ressurreição sobre a morte (Gl 3.7-9,14).

Jesus "veio para o que era seu, mas os seus não o receberam. Contudo, aos que o receberam, aos que creram em seu nome, deu-lhes o direito de se tornarem filhos de Deus" (Jo 1.11-12). Essa é a mensagem do evangelho de João. Você pode olhar para Jesus como mestre da moral, como grande humanitário, profeta hebreu ou como um extraordinário líder religioso. A convocação de Jesus, entretanto, é para que você creia em seu nome como Filho do Deus vivo, o Verbo que se fez carne, o Deus encarnado, aquele que por meio de sua morte e ressurreição nos garante a vida eterna e a comunhão com Deus, a participação na natureza divina.

Você escolhe se quer olhar para Jesus como um homem enganado a respeito de si mesmo, ou se quer olhar para Jesus como Deus, plenamente consciente não apenas do seu papel na história, mas absolutamente consciente de sua identidade em toda a eternidade.

Ou você o admira, ou você o adora. É hora de escolher.

MONTE

De manhã cedo, quando voltava para a cidade, Jesus teve fome. Vendo uma figueira à beira do caminho, aproximou-se dela, mas nada encontrou, a não ser folhas. Então lhe disse: "Nunca mais dê frutos!". Imediatamente a árvore secou. Ao verem isso, os discípulos ficaram espantados e perguntaram: "Como a figueira secou tão depressa?". Jesus respondeu: "Eu lhes asseguro que, se vocês tiverem fé e não duvidarem, poderão fazer não somente o que foi feito à figueira, mas também dizer a este monte: 'Levante-se e atire-se no mar', e assim será feito. E tudo o que pedirem em oração, se crerem, vocês receberão".
MATEUS 21.18-22

O leitor mais desatento vai acreditar que Jesus acaba de dar aos seus discípulos um cheque em branco. E esse cheque em branco atende pelo nome de "oração da fé": "tudo o que pedirem em oração, se crerem, vocês receberão" (Mt 21.22). O senso comum interpreta essas palavras como se Jesus estivesse prometendo dádivas ilimitadas da parte de Deus para todos aqueles que oram com fé. Jesus afirma que os seus talmidim "poderão fazer não somente o que foi feito à figueira, mas também dizer a este monte: 'Levante-se e atire-se no mar', e assim será feito" (Mt 21.21). Essa é a origem da crença que "a fé remove montanhas".

A maioria das pessoas geralmente pensa que mudar a montanha de lugar significa remover qualquer grande obstáculo, alcançar uma meta aparentemente inatingível ou superar uma dificuldade intransponível. A "montanha" pode representar a necessidade de um emprego, uma crise financeira, uma prova de vestibular ou um concurso público. Remover a montanha pode significar resolver um problema amoroso, promover a cura para uma enfermidade, atravessar um tempo de provação, tribulação ou mesmo perseguição.

Remover montanhas pode significar qualquer coisa que atrapalhe o anseio do ser humano por conforto, bem-estar e felicidade. Tudo aquilo que atravessar o seu caminho, atrapalhando a concretização de seus sonhos e a realização de seus desejos, ou comprometendo sua felicidade, você pode remover pela fé, porque a fé remove montanhas. Mais do que isso. Tudo que você quiser receber de Deus, se pedir com fé, vai receber, pois está prometido. Assim as palavras de Jesus vêm sendo interpretadas todos os dias.

Mas essa interpretação é de quem lê a Bíblia de maneira não apenas desatenta, mas completamente fora do seu contexto. E o contexto é definido pelo que foi narrado antes e vai ser narrado depois desse incidente de Jesus com a figueira. Também deve ser observado o momento da vida de Jesus, como ele está se relacionando com a religião de Israel, com o Sinédrio, os fariseus e os doutores da Lei, e com seus próprios talmidim. O contexto é também todo o conjunto simbólico da Bíblia Sagrada. Os profetas Jeremias, Oseias, Habacuque, por exemplo, usam a figueira como um símbolo de Israel.

O profeta Jeremias recebe a visão de que os judeus exilados são figos bons, a quem Deus quer fazer o bem (Jr 24.3-7). Oseias compara a fidelidade de Israel ao fruto da figueira, sendo consequentemente a ausência de frutos um sinal de iniquidade (Os 9.10-11). O profeta Habacuque disse que o dia do juízo de Deus é o dia em que a figueira não floresce (Hc 3.17-18). É o dia em que não há fruto na figueira. Parece que esse dia chegou. O dia em que Jesus vai buscar o fruto na figueira, mas não há fruto. Essa é a maneira simbólica de Jesus dizer que o dia do juízo chegou.

Basta olhar um pouquinho para trás e você percebe que a narrativa de Mateus insere a maldição contra a figueira exatamente após o momento em que Jesus purifica o templo, profetizando que "'A minha casa será chamada casa de oração', mas vocês estão fazendo dela um 'covil de ladrões'" (Mt 21.13).

A metáfora da árvore frutífera que frustra os propósitos de sua natureza é usada pelos profetas de Israel não só com relação à figueira. O profeta Isaías conta que Deus plantou uma vinha e esperava que desse uvas boas, mas só deu uvas azedas (Is 5.1-7). Jesus amaldiçoa a figueira num ato simbólico que declara Israel uma nação que não deu o fruto esperado por Deus, e portanto não será poupada do juízo. As autoridades religiosas de Israel rejeitaram Jesus como Messias. A nação de Israel rejeitou o seu Messias. Jesus começa agora a profetizar o juízo de Deus contra Israel.

Israel não é apenas a figueira que não deu frutos, mas também a montanha que será removida do seu lugar. O monte Sião não será mais o centro da relação entre Deus e os homens. Israel está sendo tirada do seu lugar. Sião era o monte do rei ungido (Sl 2.6; 48.2), a cidade de Davi (2Sm 5.7). Após sua morte, passou a designar o Monte do Templo, o lugar específico da adoração a Deus em Israel. Era o símbolo da relação exclusiva entre Deus e Israel (Sl 132.13-14). Os poetas hebreus cantaram que o monte de Sião "não se abala, mas permanece para sempre" (Sl 125.1). O nome Sião chegou a representar a cidade de Jerusalém, o reino de Judá e o povo de Israel em sua totalidade (Is 40.9; Zc 9.13).

Mas a profecia de Jesus é contundente. O rei ungido de Deus chegou a Sião e foi rejeitado. O grande rei entrou pelas portas de Sião, mas vocês não o receberam. O Messias chegou, mas Israel não deu o fruto esperado. Agora as portas do reino de Deus estão abertas.

A maldição sobre a figueira-Israel e a remoção do monte-Sião indicam que Deus está estabelecendo um novo pacto com um povo muito mais abrangente do que o povo de Israel. Deus está movendo a montanha, tirando o monte Sião do lugar e substituindo-o pelo monte Calvário. A partir de Jesus, a cruz é o centro da história. Não mais Sião, mas o Calvário. Não mais a religião de Israel, mas o sangue do Cordeiro de Deus derramado na cruz do Calvário. Não mais um povo exclusivo de Deus, mas todas as famílias da terra, como prometido a Abraão. Jesus profetiza o que o apóstolo Paulo afirma mais adiante: os que são da fé são filhos de Abraão (Gl 3.7).

Jesus não está dando um cheque em branco aos seus talmidim. Não está em hipótese alguma prometendo que pela oração de fé poderemos concretizar todos os nossos sonhos, realizar todos os nossos desejos e remover todos os obstáculos à nossa felicidade. Jesus está dizendo que está estabelecendo um novo pacto, o pacto do povo da fé, do povo que olha para o monte Calvário e vê em Jesus, o Messias rejeitado, o Cordeiro de Deus que tira o pecado do mundo.

Amante

33 Talmidim52

> *Um pouco antes da festa da Páscoa, sabendo Jesus que havia chegado o tempo em que deixaria este mundo e iria para o Pai, tendo amado os seus que estavam no mundo, amou-os até o fim.*
> João 13.1

Reproduzo Antônio Vieira que, em meados de 1600, interpretou[5] esse texto apresentando Jesus como o amante perfeito, isto é, aquele que ama com perfeição. Diz o padre jesuíta que Jesus é o amante perfeito porque possui quatro ciências. Há quatro coisas que Jesus sabe, e por isso ama à perfeição. A primeira ciência de Jesus é que ele sabe de si. Jesus está absolutamente consciente de sua identidade: "sabendo Jesus que havia chegado o tempo em que deixaria este mundo e iria para o Pai". Jesus sabe que é Filho de Deus.

Muita gente se interessa pela sabedoria de Jesus, admira seus ensinamentos morais e sua proposta ética. Há quem diga que Jesus é o espírito mais iluminado que já pisou o planeta. São pessoas que estão interessadas em crer no que Jesus diz a respeito da vida. Mas não estão prontas para ouvir o que Jesus diz a respeito de si mesmo. Ele diz coisas como "Eu e o Pai somos um", "Eu sou o Filho de Deus", "Quem vê a mim, vê o Pai", "Eu Sou antes de Abraão", "Eu vim do céu. Eu não sou daqui. Meu reino não é deste mundo". Jesus se compreende numa relação de absoluta singularidade com Deus, o nosso Pai celestial. Ele se compreende Filho unigênito de Deus.

Quando Jesus diz "eu amo você", sabe perfeitamente quem é esse "eu" que ama. Diferente das nossas juras de amor, baseadas no autoengano, Jesus ama ciente de si. Não é possível que algum dia Jesus lhe diga algo como: "Sabe, quando fiz juras de amor a você, eu não sabia direito quem eu era. Estava me descobrindo como pessoa. Hoje, quando estou mais amadurecido, me encontrei, sou uma pessoa muito diferente daquela que disse que amava você. Na verdade, aquela pessoa que disse isso já não existe mais. Esta pessoa que sou hoje já não ama você".

Jesus ama de maneira perfeita porque sabe de si.

A segunda ciência de Jesus é que ele sabe quem são as pessoas que ama: "tendo amado os seus que estavam no mundo". Quando Jesus diz "eu amo você", sabe perfeitamente quem é você. Ele não está iludido a respeito dele mesmo, e também não está iludido a seu respeito. Ele conhece não apenas a si, mas conhece você perfeitamente. Sabe tudo a seu respeito.

Você não corre o risco de Jesus lhe dizer algo como: "Sabe, quando fiz juras de amor por você, eu não sabia direito quem você era. Estava descobrindo você como pessoa. Hoje que estou mais esclarecido, percebi que você é uma pessoa muito diferente daquela que eu imaginava. Na verdade, aquela pessoa que eu disse que amava não existe. Quando eu disse que amava você, pensava que você era uma coisa, mas depois descobri que não era. Você me decepcionou, me desapontou, não cumpriu suas promessas, não honrou a sua palavra, não foi fiel a mim. E eu fiquei muito desapontado com você. Eu não amo mais você. Porque você não é a pessoa que eu imaginei que fosse. Não sou capaz de amar essa pessoa que descobri que você é".

Padre Vieira indaga sobre o texto que diz que Jesus amou "os seus que estavam no mundo": "Onde estariam os seus se não estivessem no mundo?". A resposta que Vieira nos oferece é genial: "Em sua imaginação".

Um dos maiores problemas das nossas juras de amor é que não amamos as pessoas como elas são. Amamos as pessoas como imaginamos que elas são, ou como gostaríamos que fossem. Fazemos juras de amor, mas, quando descobrimos quem as pessoas que juramos amar são de fato, o amor que tínhamos por elas escorre entre os dedos. Então dizemos "Eu já não amo você".

Jesus sabe de si. Sabe de mim. Jesus sabe quem é você, quem sou eu. Por isso nos ama com perfeição.

A terceira ciência de Jesus é que ele sabe do amor: "tendo amado, amou". Há muita gente que não sabe o que é amar. Confunde amor com desejo. Confunde amor com paixão. Confunde amor com desejo sexual. Não sabe o que é amar. Um dos meus versos prediletos nas canções de Lulu Santos diz o seguinte: "Eu quero crer no amor numa boa, e que isso valha para qualquer pessoa que realizar a força que tem uma paixão". Não é todo mundo que consegue realizar a força que tem uma paixão. O encantamento inicial logo se desvanece. O arrebatamento que faz a gente jurar amor passa logo após a conquista. Não são poucas as "relações de amor" que não sobrevivem ao tempo da paixão. A convivência apaixonada não exige virtude.

O caminho pelo chão batido do amor exige aceitação do outro real, renúncia, perdão, sacrifício, transformação de si. Quando descobrimos aos poucos e a cada dia mais quem o outro realmente é, surgem as decepções e os desapontamentos, as traições e os abandonos, vão se acumulando as mágoas e os ressentimentos. Quando o outro vai se distanciando daquilo que imaginamos ou gostaríamos que fosse, aos poucos vamos perdendo o desejo, até que chega o dia em que dizemos: "Eu já não amo você. Eu pensei que amava. Mas eu não fazia a menor ideia do que era o amor. Acreditei que amamos por causa de... Mas agora descobri que o verdadeiro amor é apesar de...".

Somos acostumados a amar "por causa de": "Eu amo você porque você me faz sentir bem", "eu amo você porque é bonito, é bonita", "eu amo você porque é atraente", "eu amo você porque me dá uma vida confortável", "eu amo você porque me compreende, me completa, me realiza", "eu amo você porque é fiel a mim", "eu amo porque blá, blá, blá". Isto é, nossas declarações de amor são por causa de suas qualidades, e suas qualidades me trazem muitos benefícios. Por isso é que eu amo você. Mas isso não é amor pelo outro. É amor por si mesmo disfarçado de amor por alguém. Esse tipo de amor implica uma relação de satisfação própria em que o outro é usado para o prazer de quem diz que ama.

O amor é abnegação. O amor é altruísmo. O amor é entrega de si, autodoação. É abrir mão dos próprios interesses em benefício da pessoa amada. Jesus sabe o que é amar. Quando diz "eu amo você", não está falando como um adolescente apaixonado, iludido a respeito de si, a respeito do outro e a respeito do amor.

Finalmente, a quarta ciência de Jesus é que ele sabe o fim a que chegará amando: "tendo amado, amou até o fim". Jesus amou até se deixar matar por amor. O fim a que chegou amando foi a cruz. Jesus morreu por amar. E morreu de tanto amar. E antes de morrer foi negado, traído, rejeitado, escarnecido, humilhado, espancado. Recebeu como resposta ao amor que deu o oposto do amor. Não foi amado. Mas, ainda assim, amou. Amou até o fim.

Jesus não tomou um susto quando se viu pendurado na cruz. Não gritou em "jus sperniandi": "Isso não é justo. Como foi que eu vim parar aqui? Amei tanto e foi assim que me retribuíram o amor que eu dei? Foi isso o que ganhei em troca do amor que devotei a todos? Isso não está certo. Se eu soubesse que seria assim não teria amado. Se eu soubesse que chegaria a esse ponto teria abandonado todo mundo pelo caminho. Não teria me doado, não teria gasto tanto tempo tentando demonstrar que meu Pai é amor".

Jesus sabia o fim a que chegaria amando. Avisou aos seus discípulos. Avisou a Judas. Avisou a Pedro. Quando a sombra da cruz começou a crescer, declarou solenemente: "Agora meu coração está perturbado, e o que direi? Pai, salva-me desta hora? Não; eu vim exatamente para isto, para esta hora" (Jo 12.27).

Jesus é o amante perfeito. Ciente de si, dos seus, do amor e do fim a que chega amando. Deus é amor. O amor tudo pode. O máximo que pode o amor é morrer pela pessoa amada. Deus amou o mundo de tal maneira que deu seu Filho (Jo 3.16). Mas o Filho amou à semelhança do Pai: a minha vida, "ninguém a tira de mim, mas eu a dou por minha espontânea vontade" (Jo 10.18). Quando Jesus afirma "eu e o Pai somos um" (Jo 10.30), é verdade. Jesus e o Pai são um em amor.

SURPRESA

> *Quando terminou de lavar-lhes os pés, Jesus tornou a vestir sua capa e voltou ao seu lugar. Então lhes perguntou: "Vocês entendem o que lhes fiz? Vocês me chamam 'Mestre' e 'Senhor', e com razão, pois eu o sou. Pois bem, se eu, sendo Senhor e Mestre de vocês, lavei-lhes os pés, vocês também devem lavar os pés uns dos outros. Eu lhes dei o exemplo, para que vocês façam como lhes fiz.*
>
> João 13.12-15

O Deus revelado por Jesus é absolutamente surpreendente. Os deuses não se prestam a servir os seus fiéis. Isso vale para qualquer deus, até para o Deus de Israel, à primeira vista. Aparentemente, ninguém imaginaria o Deus revelado nas páginas do Antigo Testamento, o Deus de Abraão, o Deus de Isaque, o Deus de Jacó, ajoelhado, lavando os pés de Moisés. Os deuses atropelam os seres humanos. Os deuses usam e abusam dos seres humanos. Invadem o mundo dos seres humanos a seu bel-prazer. Os deuses não perguntam o que os seres humanos querem ou deixam de querer. Os deuses impõem sua vontade. Eles são autoritários e totalitários. Manda quem pode, obedece quem tem juízo. Os deuses podem.

Mas o Deus revelado por Jesus é um absolutamente diferente e surpreendente. O Deus de Jesus chora. O Deus de Jesus tem seus desejos não correspondidos.

> Jerusalém, Jerusalém, você, que mata os profetas e apedrejas os que lhe são enviados! Quantas vezes eu quis reunir os seus filhos, como a galinha reúne os seus pintinhos debaixo das suas asas, mas vocês não quiseram!
>
> Lucas 13.34

> Quando se aproximou e viu a cidade, Jesus chorou sobre ela e disse: "Se você compreendesse neste dia, sim, você também, o que traz a paz! Mas agora isso está oculto aos seus olhos. Virão dias em que os seus inimigos construirão trincheiras contra você, a rodearão e a cercarão de todos os lados. Também a lançarão por terra, você e os seus filhos. Não deixarão pedra sobre pedra, porque você não reconheceu a oportunidade que Deus lhe concedeu".
>
> Lucas 19.41-44

O Deus revelado por Jesus conversa com a virgem, como quem pede consentimento para tomá-la para si.

> No sexto mês Deus enviou o anjo Gabriel a Nazaré, cidade da Galileia, a uma virgem prometida em casamento a certo homem chamado José, descendente de

Davi. O nome da virgem era Maria. O anjo, aproximando-se dela, disse: "Alegre-se, agraciada! O Senhor está com você!". Maria ficou perturbada com essas palavras, pensando no que poderia significar esta saudação. Mas o anjo lhe disse: "Não tenha medo, Maria; você foi agraciada por Deus! Você ficará grávida e dará à luz um filho, e lhe porá o nome de Jesus. Ele será grande e será chamado Filho do Altíssimo. O Senhor Deus lhe dará o trono de seu pai Davi, e ele reinará para sempre sobre o povo de Jacó; seu Reino jamais terá fim".

Lucas 1.26-33

Parece mesmo que Deus aguarda que a virgem lhe dê permissão: "Sou serva do Senhor; que aconteça comigo conforme a tua palavra" (Lc 1.38).

Os deuses matam. O Deus revelado por Jesus é um Deus que morre. Morre por amor. Os deuses matam quando seus caprichos, desejos e vontades são contrariados pelos homens. Jesus é o Deus que morre. Morre porque é rejeitado. Entre matar e morrer, escolhe morrer.

Os deuses são servidos. Os deuses estendem os pés para que os seres humanos os lavem. O Deus revelado por Jesus é um Deus que se ajoelha para lavar os pés de seus talmidim.

Era costume da época que o anfitrião providenciasse para que seus convivas tivessem os pés lavados. Uma família de classe média em Roma possuía pelo menos 30 escravos. Reunido no cenáculo para celebrar a Páscoa, era de esperar que alguns escravos se apresentassem para lavar os pés daqueles homens e de seu ilustre rabi. Mas nenhum escravo estava presente naquela refeição. Apenas Jesus e seus talmidim. Jesus se despe do seu manto, toma uma toalha nas mãos, ajoelha-se aos pés dos discípulos e faz o trabalho que um escravo deveria estar fazendo.

Pedro se recusa a ter os pés lavados por Jesus: "'Senhor, vais lavar os meus pés?'. Respondeu Jesus: 'Você não compreende agora o que estou lhe fazendo; mais tarde, porém, entenderá'. Disse Pedro: 'Não; nunca lavarás os meus pés!'". Então Jesus faz uma declaração surpreendente: "'Se eu não os lavar, você não terá parte comigo'" (Jo 13.6-8).

Jesus somente se relaciona com pessoas na perspectiva do servo. É como se dissesse: "Ou você me permite lavar os seus pés, ou não posso me relacionar com você". Os deuses estão do lado oposto da calçada. E nós lhes fazemos companhia. Dizemos uns aos outros: "Ou você me serve e me lava os pés, ou não posso me relacionar com você. Ou você me lava os pés, ou não serve para ser meu amigo. Ou você é útil para mim, ou então não me interessa".

Jesus é um Deus surpreendente.

O Evangelho não é a afirmação da existência de Deus. E também não é a mera afirmação de que Deus ama. O evangelho de Jesus Cristo é a revelação de que Deus é amor. Alguns estudiosos afirmam que o amor não é um atributo de Deus. Os atributos de Deus são atributos do amor.

O teólogo jesuíta François Varillon[6] acredita que Deus não é um todo-poderoso que nos ama, mas um amor todo-poderoso. Por essa razão, mais verdadeiro do que dizer que Deus tudo pode é afirmar que Deus pode tudo quanto o amor pode.

Alguns pensadores vão dizer que a perspectiva cristã implica uma limitação de Deus. Afirmar que Deus pode tudo quanto o amor pode é limitar Deus. Deus, por definição, não pode ser limitado. Caso Deus decida esmagar você com o polegar direito, ele pode, pois ele é Deus. Mas isso contraria o amor, e por essa razão afirmar que Deus é amor parece um contrassenso ao próprio conceito do que significa ser Deus. Dizer que Deus não pode fazer isso ou aquilo é roubar de Deus sua soberania. Crer em um Deus que se frustra, chora e se ajoelha para servir é enfraquecer a pessoa de Deus.

Todos esses argumentos parecem razoáveis. Mas o problema é que é exatamente assim que vejo o Deus revelado por Jesus: chora, se frustra e não consegue fazer milagres onde os homens não querem que ele o faça. Resolvemos esse dilema de maneira muito simples. A expressão "Deus é amor" descreve uma qualidade de relação, e não a natureza de Deus. Descreve como Deus escolheu se relacionar com a sua criação e suas criaturas, especialmente o ser humano, criado à sua imagem e semelhança. Jesus é o Deus que escolheu se esvaziar, vir a ser servo, tornando-se semelhante aos homens. "E, sendo encontrado em forma humana, humilhou-se a si mesmo e foi obediente até à morte, e morte de cruz!" (Fp 2.8). Jesus o fez voluntariamente. Ninguém o obrigou a fazê-lo. Deus escolheu se relacionar em amor. O amor de Deus pela sua criação o fez sacrificar-se por ela. Jesus assume esse compromisso por sua livre vontade autodeterminada. Nenhuma força ou poder exterior a ele o constrangeu a entregar sua vida e deixar-se matar na cruz do Calvário (Jo 10.18).

Esta é a razão de não termos medo de Deus: "no amor não há medo; ao contrário o perfeito amor expulsa o medo, porque o medo supõe castigo. Aquele que tem medo não está aperfeiçoado no amor" (1Jo 4.18). Vivemos para Deus, não porque somos constrangidos pelo temor ou pelo medo. "O amor de Cristo nos constrange, porque estamos convencidos de que um morreu por todos; logo, todos morreram. E ele morreu por todos para que aqueles que vivem já não vivam mais para si mesmos, mas para aquele que por eles morreu e ressuscitou" (2Co 5.14-15).

Os talmidim não têm medo de Deus. Não andam de sobressalto, imaginando a hora que Deus vai acordar de mau humor ou consumido pela ira e esmagar alguns dos seus com o polegar direito. Os talmidim de Jesus vivem descansando nos eternos braços do seu Deus.

Paulo, apóstolo, nos lembra que "Deus demonstra seu amor por nós: Cristo morreu em nosso favor quando ainda éramos pecadores" (Rm 5.8) e por isso podemos caminhar pela vida celebrando o amor de Deus num hino de vitória.

Que diremos, pois, diante dessas coisas? Se Deus é por nós, quem será contra nós? Aquele que não poupou a seu próprio Filho, mas o entregou por todos nós, como não nos dará juntamente com ele, e de graça, todas as coisas? Quem fará alguma acusação contra os escolhidos de Deus? É Deus quem os justifica. Quem os condenará? Foi Cristo Jesus que morreu; e mais, que ressuscitou e está à direita de Deus, e também intercede por nós. Quem nos separará do amor de Cristo? Será tribulação, ou angústia, ou perseguição, ou fome, ou nudez, ou perigo, ou espada? Como está escrito: "Por amor de ti enfrentamos a morte todos os dias; somos considerados como ovelhas destinadas ao matadouro". Mas, em todas estas coisas somos mais que vencedores, por meio daquele que nos amou. Pois estou convencido de que nem morte nem vida, nem anjos nem demônios, nem o presente nem o futuro, nem quaisquer poderes, nem altura nem profundidade, nem qualquer outra coisa na criação será capaz de nos separar do amor de Deus que está em Cristo Jesus, nosso Senhor.

Romanos 8.31-39

Não tenha medo de Deus. Não tenha medo de entregar sua vida nas mãos de Deus. Deus ama você. Deus é amor. Siga o exemplo de Jesus. Você é livre. Livre inclusive para existir contra Deus. Mas pode seguir a recomendação do padre Varillon: devolver a Deus, num ato de amor, a maior dádiva que Deus lhe deu: sua liberdade. Pode viver a máxima de Martinho Lutero, o grande reformador protestante, que acreditava que o seguidor de Jesus é, ao mesmo tempo, um senhor livre, a ninguém sujeito, e um escravo devoto, a todos sujeito.[7]

Jesus é um Deus surpreendente. Que pode fazer de nós pessoas tão livres que são capazes de se ajoelhar para lavar os pés do próximo.

AMOR

35 Talmidim52

> *Um novo mandamento lhes dou: Amem-se uns aos outros. Como eu os amei, vocês devem amar-se uns aos outros. Com isso todos saberão que vocês são meus discípulos, se vocês se amarem uns aos outros.*
> João 13.34-35

Amar a Deus sobre todas as coisas e ao próximo como a si mesmo era a síntese da Lei e dos profetas. Os rabinos de Israel sabiam disso, Jesus sabia disso, os estudiosos da Lei, os mestres da Lei sabiam disso. Todo mundo sabia disso. Mas Jesus aparece dizendo aos seus talmidim: "Um novo mandamento lhes dou". Por que um "novo mandamento"? O mandamento de amar uns aos outros não era novo. Mas Jesus o faz novo.

O mandamento na Lei de Moisés diz "Ame o Senhor, o seu Deus, de todo o seu coração, de toda a sua alma, de todo o seu entendimento e de toda a sua força" e "o próximo como a si mesmo" (Mc 12.30-31). O padrão do amor ao próximo é o amor a si mesmo. Jesus estabelece outro padrão para o amor. Ele diz "assim como eu vos amei, vocês devem amar uns aos outros". O padrão de amor já não é mais o amor a si mesmo, é o amor de Cristo. Em palavras simples, devo amar o meu próximo não mais como amo a mim mesmo, mas como Cristo ama. O novo padrão do amor faz novo o mandamento de amar ao próximo.

Os talmidim de Jesus vivemos uma nova dinâmica de amor. O amor com que Jesus Cristo me ama compartilho com você. Cristo ama você através de mim. O mesmo acontece no sentido contrário. Cristo me ama através de você. Vivemos a ciranda do amor divino: meu amor por você e o seu amor por mim, mediado pelo amor do Cristo. Um relacionamento de amor somente possível na presença de Cristo.

Isso significa também que é no meu amor por você e no seu amor por mim que experimentamos o amor de Cristo. Mais ainda, o amor atualiza a presença de Cristo entre nós, e somente entre nós, pois o Cristo está presente na relação de amor e somente na relação de amor.

Aprendi com Hugo Assmann e Jung Mo Sung, ambos teólogos católicos romanos, o conceito de endomística, a mística de Deus em nós. Eles acreditam que "a presença do amor de Deus em nós acontece no amor solidário ao próximo". Dizem que "a presença de Deus se faz presente em nós quando nos abrimos ao próximo no amor solidário, e somos capazes disso porque o amor de Deus opera em nós. É um 'acontecimento' onde os 'dois amores' ocorrem simultaneamente, que só acontece na medida em que o amor solidário pelo próximo e o amor de Deus se fazem presentes ao mesmo tempo".[8]

A fé cristã é absolutamente relacional. E faz muito sentido porque Deus é três: Deus Pai, Deus Filho e Deus Espírito Santo. A Bíblia Sagrada revela Deus como comunhão perfeita de três pessoas. As três pessoas têm mesma substância, mesma natureza e vivem uma unidade perfeita desde a eternidade. A essas três pessoas damos o nome de "Deus". Por isso dizemos que Deus é trino. Três pessoas, mas um só Deus.

Uma dessas três pessoas se fez carne e habitou entre nós. O Deus Filho nos revelou que a experiência com esse Deus, essa Santíssima Trindade, é necessariamente uma experiência de amor. Assim como as três pessoas divinas se compreendem uma só pessoa, vivem a unidade perfeita que se chama amor, devemos viver entre nós, percebendo-nos uns aos outros como se fôssemos uma só pessoa: todos nós somos um.

Na experiência do amor manifestamos nossa semelhança com Deus. A imagem e semelhança de Deus em nós está na dimensão da unidade perfeita do amor. Esse é o mistério do Corpo de Cristo. Em que nós somos muitos, mas somos um só (1Co 12.12-27).

Os conceitos de indivíduo e individualidade são estranhos à Bíblia Sagrada e ao evangelho de Jesus Cristo. A Bíblia Sagrada conhece o conceito de pessoa, mas não de indivíduo, isolado de sua grande família, de sua comunidade e de sua relação de solidariedade com toda a humanidade. O evangelho de Jesus Cristo reafirma que somos pessoas, com nossas particularidades e peculiaridades. Mas não somos isolados e não subsistimos desligados e separados uns dos outros.

O novo homem que Jesus faz é o novo homem coletivo. O novo homem plural. Assim como Deus é plural, mas é um só Deus, três pessoas em unidade perfeita, somos também muitas pessoas, mas um só homem.

A narrativa bíblica da criação do homem à imagem e semelhança de Deus relata a criação do casal. Adão é o casal, o homem é plural, macho e fêmea. Quando Adão contempla Eva pela primeira vez, declara: "Esta, sim, é osso dos meus ossos e carne da minha carne!" (Gn 2.23). Esta não é "outra", esta é como se fosse eu. O casal é uma réplica da unidade divina, uma só carne.

A experiência de Deus na fé cristã é relacional. Amamo-nos uns aos outros mesmo quando entramos no quarto para nos ajoelhar diante de Deus. A oração que pronunciamos é ao "Pai nosso", e suplicamos o "pão nosso", o perdão para os "nossos pecados" e para que Deus "não nos deixe cair em tentação", e a todos livre do mal. Quando entramos no quarto para orar, levamos conosco toda a humanidade, a fraternidade universal que o amor de Jesus Cristo veio restaurar.

Uma nova perspectiva de Deus. Um novo mandamento. Uma nova humanidade. Tudo isso revelado por Jesus aos seus talmidim na palavra "amor".

CASA

> *Não se perturbe o coração de vocês. Creiam em Deus; creiam também em mim. Na casa de meu Pai há muitos aposentos; se não fosse assim, eu lhes teria dito. Vou preparar-lhes lugar. E se eu for e lhes preparar lugar, voltarei e os levarei para mim, para que vocês estejam onde eu estiver.*
> João 14.1-3

A nação de Israel espera seu Messias. Um profeta semelhante a Moisés (Dt 18.15) e um rei semelhante a Davi (2Sm 7.12-16). A expectativa era que o Messias levaria a nação de Israel à prosperidade e ao poder universal, reinando sobre todas as nações. O Messias seria um governante político de um reino estabelecido para a glória do Deus de Israel e seu povo escolhido. Mas Jesus revela sua identidade messiânica voltada ao reino de Deus que não encontra lugar neste mundo, é reino eterno além das fronteiras de um povo etnicamente definido e reúne pessoas de todas as raças, tribos, línguas e nações.

Seu reino não se opõe a Roma, mas ao Maligno e à maldade. As correntes que promete arrebentar não são da escravidão geopolítica e econômica, mas do pecado e da morte. Jesus é o Messias que extrapola os papéis de profeta e rei, e se identifica como Filho de Deus. Desde antes de Abraão, um com o Pai, veio do céu e não pertence à terra. É o Cordeiro de Deus que tira o pecado do mundo. Jesus é o Messias que contraria as expectativas de Israel e vira de ponta-cabeça a tradição dos fariseus e doutores da Lei de sua época. Jesus é o Messias surpreendente.

À medida que Jesus se revela e sua popularidade cresce, fica cada vez mais claro que ele fala de uma realidade abrangente, universal e até mesmo cósmica. Jesus é Senhor sobre tudo e sobre todos. Sobre o tempo e o que existe depois do tempo. Sobre a história e a eternidade. Não apenas de um povo, o povo judeu, mas de todos os povos. Jesus cumpre a promessa de Deus a Abraão: "por meio de você todos os povos da terra serão abençoados".

Essa perspectiva ilumina todos os seus atos e suas palavras. Como, por exemplo, esta declaração de que "na casa de meu Pai há muitos aposentos". Há um consenso popular de que Jesus está falando do céu. Como se estivesse dizendo: "Não fiquem tristes, não tenham medo, porque vou morrer e depois que ressuscitar vou para o céu preparar lugar para vocês".

Um judeu em Jerusalém, nos dias de celebração da festa da Páscoa jamais pensaria que a expressão "casa de meu Pai" apontava para o céu, e muito menos para o céu como morada após a morte. Caso você perguntasse a um judeu: Onde é a casa do Pai? Ele imediatamente apontaria para o templo de Jerusalém.

Após expulsar os vendilhões do templo, Jesus diz: "'a minha casa será casa de oração'; mas vocês fizeram dela um 'covil de ladrões'" (Lc 19.46). Jesus manda que o templo seja derrubado e promete construir outro em três dias (Jo 2.19-21). Os judeus sempre associaram "casa do Pai" com o templo de Jerusalém. Aos seus talmidim, Jesus promete preparar lugar na casa do Pai, uma casa com muitos aposentos. Diz que o tempo necessário é de apenas três dias. Garante que após sua morte seus talmidim estarão com ele nessa casa: "Vou preparar-lhes lugar. E, se eu for e lhes preparar lugar, voltarei e os levarei para mim, para que vocês estejam onde eu estiver" (Jo 14.3).

As palavras de Jesus "destruam este templo, e eu o levantarei em três dias" (Jo 2.19) e "eu vou e volto, e quando eu voltar vocês estarão comigo na casa do meu Pai" (cf. Jo 14.3) devem ser compreendidas como uma mesma promessa. Três dias são o intervalo entre sua morte e ressurreição. Jesus ressuscita ao terceiro dia. O evangelista João interpreta as palavras de Jesus a respeito do novo templo que seria construído em três dias afirmando que ele falava a respeito do seu corpo (Jo 2.21).

O templo que Jesus constrói em três dias é o seu corpo vivo. O templo que é o corpo vivo de Jesus não é feito por mãos humanas, pois "Deus [...] não habita em santuários feitos por mãos humanas" (At 17.24), "o Altíssimo não habita em casas feitas por homens" (At 7.48).

Os apóstolos compreenderam a promessa de Jesus. Paulo disse que a comunidade do Cristo ressurreto é o "templo do Espírito Santo", e que cada talmidim de Jesus é também um templo onde o Espírito Santo habita (1Co 3.16-17; 6.19). Pedro ensina que o novo templo construído por Jesus é feito de "pedras vivas", uma "casa espiritual" (1Pe 2.5), fazendo eco ao ensino do apóstolo Paulo, que considera o novo templo "morada de Deus por seu Espírito" (Ef 2.22).

Quando Jesus fala que "na casa do meu Pai há muitos aposentos", não está falando do céu como lugar para onde vamos após a nossa morte física. Penso que Jesus está falando do lugar para onde vamos, ou, melhor dizendo, o lugar que nos tornamos, depois da morte e da ressurreição dele, Jesus.

Jesus vai quando morre e volta quando ressuscita ao terceiro dia. Seu corpo está vivo, e então ele vem fazer morada em nós: "Se alguém me ama, obedecerá à minha palavra. Meu Pai o amará, nós viremos a ele e faremos nele morada" (Jo 14.23). Nesse dia, na comunhão mística do seu corpo ressurreto que se chama Igreja, no tempo que se chama hoje, "eu estou com vocês e vocês estão comigo", pois "onde eu estiver, vocês também estão". Não duvidem, "estarei sempre com vocês, até o fim dos tempos" (Mt 28.20).

E quem são esses "vocês"? Não apenas o povo judeu, não apenas a nação de Israel, mas todos aqueles que são da fé, da fé no Cristo. Esses são os verdadeiros filhos de Abraão, disse o apóstolo Paulo (Gl 3.7). Gente de todas as nações, de todas as tribos, de todas as raças, todos os povos e línguas (Ap 5.9). No Cristo ressurreto são abençoadas todas as famílias da terra (Gn 12.1-3; Gl 3.14). Eu, você e todos aqueles que têm fé no Cristo e o reconhecem como Filho do Deus vivo. Somos o Corpo vivo de Cristo.

A casa do Pai é o novo templo. O novo templo é o corpo vivo do Cristo ressurreto. O corpo vivo do Cristo ressurreto é o novo homem. O novo homem é coletivo. A casa do Pai é uma comunidade.

PARACLETO

Eu lhes afirmo que é para o bem de vocês que eu vou. Se eu não for, o Conselheiro não virá para vocês; mas se eu for, eu o enviarei.
João 16.7

Os capítulos de 13 a 17 do evangelho de João registram a última refeição de Jesus com seus talmidim. Reunidos no cenáculo, em Jerusalém, eles celebram a Páscoa pela última vez. Saindo dali, Jesus vai para o Getsêmani, onde é preso e em seguida crucificado. Da próxima vez em que estiverem juntos novamente, Jesus já terá morrido e ressuscitado.

No cenáculo, Jesus lava os pés de seus discípulos, celebra a Páscoa, institui a nova aliança, não mais no sangue dos animais sacrificados no templo, mas no seu sangue derramado na cruz: "Este é o meu corpo, este é o meu sangue, comam do pão e bebam do vinho, comam o meu corpo e bebam o meu sangue, em memória de mim".

No cenáculo, Jesus faz a chamada "oração sacerdotal", quando presta contas a Deus, o Pai, da missão que realizará na terra e intercede pelos seus discípulos, que permanecerão como continuidade da sua presença no mundo. No cenáculo, Jesus tem sua última conversa com seus talmidim. Aquele dia foi o último tempo de privacidade e intimidade de Jesus com seus discípulos. Ali tiveram sua conversa mais longa e mais importante. Jesus carrega todas as tintas na afirmação de que vai morrer, vai ressuscitar e voltará para estar presente com os seus discípulos.

Enquanto Jesus fala de sua morte iminente, começa a crescer no coração dos doze uma grande angústia. Pedro, então, fala em nome de todos: "Mas, como será a nossa vida após a sua partida? Como viveremos depois que o senhor morrer? Quem vai fazer as coisas que o senhor faz?". Filipe entra na conversa e faz um pedido, quase um autoconvite: "Mestre, o senhor diz que está voltando para o Pai. Queremos ir com o senhor, mostre-nos o caminho, mostre-nos o Pai".

Jesus responde, tranquilizando os discípulos: "Não se perturbe o coração de vocês, creiam em Deus, creiam em mim, eu estarei com vocês, vocês estarão comigo. Eu vou pedir ao Pai, e o Pai vai enviar o Espírito Santo. Vocês não ficarão sozinhos. Não ficarão órfãos. Eu vou pedir ao Pai e ele enviará o Consolador. Assim como o Pai habitou em mim, eu e o Pai habitaremos em vocês".

Jesus chama o Espírito Santo de Paracleto, palavra grega (*paráklētos*) que tem muitos significados: "aquele que consola ou conforta", "aquele que encoraja e reanima", "aquele que revive", "aquele que intercede em nosso favor como um defensor numa corte". A palavra significa também "chamado para o lado de alguém". Todos os significados atendem perfeitamente ao Espírito Santo, que é Deus, que vem morar em nós.

Jesus anuncia que Deus está mudando de endereço. Deus não está apenas no céu. Deus está em nós. Deus não está mais manifestando a sua glória no templo de Jerusalém, como nos dias do profeta Isaías (6.1-4), mas em nós, o templo de pedras vivas, o Corpo vivo do Cristo ressurreto.

Os discípulos estão muito angustiados com a notícia da morte de Jesus e querem saber quem vai fazer as obras que ele faz. Querem saber quem vai curar os enfermos, expulsar os demônios, manifestar a glória do Pai e sinalizar o reino de Deus entre os homens. Jesus responde como quem diz a maior das obviedades: "Vocês".

Jesus promete aos seus talmidim: "Vocês vão fazer o que eu faço. Vocês vão fazer, inclusive, obras maiores do que as obras que eu faço. Porque assim como o Espírito de Deus habitou em mim e me ungiu, me capacitou e me deu poder e autoridade para agir em nome do meu Pai, esse mesmo Espírito Santo também vai estar sobre vocês, e vocês vão fazer as mesmas obras que eu faço e até maiores".

Os discípulos não querem que Jesus se entregue à morte. Jesus, então, precisa dizer-lhes estas palavras: "É para o bem de vocês que eu vou morrer. É para o bem de vocês que eu vou voltar para o meu Pai. Porque quando eu voltar para o meu Pai, o Espírito Santo virá habitar com vocês e em vocês".

> E eu pedirei ao Pai, e ele lhes dará outro Conselheiro para estar com vocês para sempre, o Espírito da verdade. O mundo não pode recebê-lo, porque não o vê nem o conhece. Mas vocês o conhecem, pois ele vive com vocês e estará em vocês.
>
> João 14.16-17

> Mas o Conselheiro, o Espírito Santo, que o Pai enviará em meu nome...
>
> João 14.26

> Quando vier o Conselheiro, que eu enviarei a vocês da parte do Pai, o Espírito da verdade que provém do Pai...
>
> João 15.26

> Se eu não for, o Conselheiro não virá para vocês; mas se eu for, eu o enviarei. Quando ele vier...
>
> João 16.7-8

> Mas quando o Espírito da verdade vier...
>
> João 16.13

Essa é a grande notícia do evangelho de Jesus.

O Deus que vem habitar em nós.

O Deus que vem nos dar poder.

O Deus que vem nos capacitar.

O Deus que vem se manifestar em nós.

O Deus que vem nos usar para realizar a sua vontade no mundo.

O Deus que vem estar conosco todos os dias até a consumação dos séculos.

Ao morrer e ressuscitar, Jesus promove a maior e última grande libertação de seus talmidim, que haviam recebido a promessa de que seriam libertos do Maligno, da morte, do inferno, do pecado. Mas jamais esperaram que um dia Jesus faria isso com eles. Nunca passou pela cabeça de nenhum dos talmidim que Jesus quisesse libertá-los dele mesmo.

Creio que as palavras de Jesus talvez pudessem ser entendidas assim: "é para o bem de vocês que eu vou". Jesus estava dizendo: "Vocês precisam se libertar de mim. Vocês precisam se libertar de mim como alguém que está do lado de fora de vocês. Como alguém que está acima de vocês, no céu, lá no trono. Vocês precisam se libertar dessa imagem de dependência, essa visão e essa postura infantil, de criancinhas indefesas, absolutamente dependentes, clamando ao Papai do céu, querendo a proteção do Papai do céu, querendo os milagres do Papai do céu. Vocês precisam saber que quando as trevas se adensarem ao seu redor vocês não devem mais clamar para que eu venha de lá do céu trazer a luz. Agora eu habito em vocês, eu habito com vocês. Vocês são a luz do mundo. O Espírito que estava sobre mim está também sobre vocês".

Jesus transfere a missão para as mãos dos discípulos: "Assim como o Pai me enviou, eu os envio" (Jo 17.18; 20.21). Jesus tinha plena consciência e absoluta convicção de que seus talmidim continuariam sua obra, fariam diferença e manifestariam a vontade e a glória de Deus no mundo.

Jesus confiava no Espírito Santo de Deus. Sua promessa aos discípulos foi clara: "Volto para o meu Pai, mas não vou deixá-los órfãos. O Espírito do meu Pai virá morar em vocês. Ele vai habitar em vocês, e guiá-los a toda a verdade. Vai lembrá-los de tudo que eu ensinei. É ele quem vai convencer vocês do pecado, da justiça e do juízo. É ele quem estará com vocês, em vocês. Portanto, assumam essa responsabilidade. Cresçam, assumam a identidade de filhos de Deus, adultos, crescidos, maduros. Façam história em meu nome, no meu Espírito, com a minha autoridade, para a glória do meu Pai".

Os talmidim de Jesus somos chamados a viver de maneira entusiasmada. Entusiasmo é uma palavra grega composta: *en theos*. *Theos* significa "Deus". *En theos* significa "dentro+Deus". Entusiasmado é "aquele que tem Deus dentro de si". Eis "o mistério que esteve oculto durante épocas e gerações, mas que agora foi manifestado a seus santos. A eles quis Deus dar a conhecer entre os gentios a gloriosa riqueza deste mistério, que é Cristo em vocês, a esperança da glória" (Cl 1.26-27).

Os talmidim de Jesus somos chamados para viver livres de confundir Jesus com um ídolo. Jesus não está mais apenas do lado de fora de mim, e não é mais alguém a quem eu peço favores o tempo todo. Jesus está vivo em mim: "Fui crucificado com Cristo. Assim, já não sou eu quem vive, mas Cristo vive em mim. A vida que agora vivo no corpo, vivo-a pela fé no Filho de Deus, que me amou e se entregou por mim" (Gl 2.20).

Minha oração não é apenas por eles. Rogo também por aqueles que crerão em mim, por meio da mensagem deles, para que todos sejam um, Pai, como tu estás em mim e eu em ti. Que eles também estejam em nós, para que o mundo creia que tu me enviaste.
João 17.20-21

O cristianismo está dividido em duas grandes tradições: a do Ocidente e a do Oriente. A tradição ocidental está vinculada à Igreja Católica Apostólica Romana e à Reforma Protestante do século 16. A tradição oriental remete à Igreja Ortodoxa, que, em 1054, no Grande Cisma, deu origem a uma comunhão de igrejas que não reconhecem a primazia do bispo de Roma como Papa e não aceitam muitos dos dogmas do catolicismo romano.

Na tradição ocidental, o pensamento hegemônico a respeito do evangelho de Jesus e da salvação que Deus oferece à humanidade está fundamentado nos termos da metáfora judicial, forense. O ser humano é o réu pecador. O Diabo é o acusador. Jesus é o advogado de defesa. Deus é o juiz.

Embora sejamos todos culpados do crime do "pecado original", o pecado do primeiro casal que se tornou o pecado de toda a raça humana, Jesus se oferece não apenas como advogado de defesa, mas também, e principalmente, como cumpridor da pena em nosso lugar. A pena que nos cabe pela ofensa ao Deus Eterno é a morte eterna. Ao cumprir a pena e morrer em nosso lugar, Jesus satisfaz a justiça desse justo juiz, que por sua vez nos concede o perdão, dando-nos vida eterna e garantindo nossa ressurreição após a morte do nosso corpo. Ressuscitados pelos méritos e pelo poder de Jesus Cristo, desfrutaremos o gozo eterno com Deus, no céu.

Jesus venceu a morte, a pena que nos era cabível, porque a morte é o "salário [consequência] do pecado" (Rm 6.23), de modo que aquele que não pecou não pode ser retido pela morte. Nas palavras do apóstolo Pedro, em seu sermão no dia do Pentecostes: "Deus o ressuscitou [Jesus] dos mortos, rompendo os laços da morte, porque era impossível que a morte o retivesse" (At 2.24).

Jesus morreu a nossa morte. Mas também "quebrou os laços da morte", ou seja, "tornou inoperante a morte e trouxe à luz a vida e a imortalidade por meio do evangelho" (2Tm 1.10). Jesus morreu a nossa morte para que pudéssemos viver a sua vida. Jesus morre conosco e nós ressuscitamos com ele (Rm 6.4), pois, se é verdade que "o salário do pecado é a morte", não menos verdadeiro é que "o dom gratuito de Deus é a vida eterna em Cristo Jesus, nosso Senhor" (Rm 6.23).

Embora celebre a ressurreição, a tradição ocidental privilegia a abordagem judicial e acende a luz sobre a cruz do Calvário como centro da mensagem do

Evangelho. O tribunal, o julgamento divino, a condenação, a pena de morte, a satisfação da justiça de Deus na morte e na cruz de Jesus, e o perdão oferecido ao réu pecador compõem a lógica essencial da mensagem cristã no Ocidente.

A tradição do cristianismo ortodoxo oriental coloca luz muito mais forte na ressurreição de Jesus. E também na Trindade Santa: Deus Pai, Deus Filho e Deus Espírito Santo. Vem da tradição oriental a belíssima imagem da *pericorese*.

Usado pela primeira vez por Gregório de Nazianzo, que foi patriarca de Constantinopla no quarto século, o termo *pericorese* significa "interpenetração" e se refere à relação que existe entre as três pessoas da Santíssima Trindade. Mais tarde, já no oitavo século, João Damasceno descreveu a *pericorese* a partir de uma brincadeira de roda das crianças. João, de Damasco, por isso Damaceno, observou uma dança onde as crianças se revezavam no centro da roda enquanto as outras bailavam em volta, e viu nessa figura a relação entre Deus Pai, Deus Filho e Deus Espírito Santo.

Deus Pai, Deus Filho e Deus Espírito Santo existem desde sempre, e nunca houve um tempo em que não existiram. Isso é o que quer dizer "eterno". A Trindade Santa existe desde sempre, bailando uma dança de unidade, em amor.

Deus é a comunhão de três pessoas em perfeita harmonia. Quando uma das pessoas está em evidência, as outras duas dançam ao seu redor, sucessivamente desde toda a eternidade. A obra da criação é relacionada a Deus Pai, a obra da redenção é própria do Deus Filho e o Espírito Santo habita todos os talmidim de Jesus, tendo sido derramado sobre toda a carne. Mas a obra de cada uma das pessoas é ao mesmo tempo a obra das três pessoas, em unidade, pois as três pessoas vivem em eterna *pericorese*, eternamente "interpenetradas".

A Trindade Santa dança desde a eternidade a unidade em amor.

Jesus pede a Deus Pai que inclua nessa dança seus talmidim. Jesus quer nos incluir no seio da Santíssima Trindade. Ele deseja que todos sejamos um, entre nós e com Deus: "como tu estás em mim e eu em ti. Que eles também estejam em nós" (Jo 17.21).

O apóstolo Pedro disse que esperamos o cumprimento da promessa de nos tornarmos "participantes da natureza divina" (2Pe 1.4). Isto é, nos tornarmos um com Deus. Assim como Deus Pai, Deus Filho e Deus Espírito Santo são um, a humanidade criada à imagem e semelhança de Deus será trazida para a unidade da Trindade Santa, e todos seremos um com o Deus Trino.

A participação na natureza divina e a integração na *pericorese* da Santíssima Trindade apontam para a plenitude do que significa ser humano. Ireneu de Lyon, teólogo grego do segundo século, disse que quando Deus criou o homem ele pensava no Cristo. Disse também que "a glória de Deus é o homem vivo, e a vida do homem consiste em ver a Deus".[9] Jesus Cristo ressurreto é o homem vivo, o homem em sua plenitude. Jesus Cristo ressurreto é o ser humano em sua máxima expressão. Jesus Cristo é o homem perfeito, o homem completo, de acordo com o Catecismo da Igreja Católica, "semelhante a nós em tudo, exceto no pecado". Na verdade, Jesus é perfeito e completamente humano justamente porque é sem pecado.

O pecado é a nossa rebelião contra Deus. O desejo que o homem alimenta de viver fora da *pericorese* é que o impede de ser perfeitamente humano. Nós, seres humanos criados e porque fomos criados à imagem e semelhança de Deus, recebemos a ordem de nos tornar deuses, acreditava Ireneu de Lyon. O ser humano será pleno no dia em que for integrado à Santa Trindade.

Nós, seres humanos, não somos apenas pó e carne fraca sobrevivendo de perdão em perdão para os seus pecados. Somos também convidados por Jesus a buscar viver outra dimensão de humanidade, uma humanidade tocada pelo divino, onde a imagem e semelhança de Deus se realiza plenamente.

Ainda que impossível de se realizar de maneira perfeita na história, a plenitude da experiência humana é a esperança que move todos os que têm fé em Jesus. Todos os talmidim de Jesus vivem mobilizados na direção do dia em que estarão interpenetrados por Deus Pai, Deus Filho e Deus Espírito, na eterna *pericorese* da Trindade Santa.

A salvação que Deus oferece não se resume a ir para o céu depois da morte. Ser salvo por Jesus, participar de sua morte e ressurreição é muito mais que ir para outro lugar depois da morte. A salvação é se tornar o tipo de ser humano desejado por Deus, expressão perfeita da imagem e semelhança de Deus.

O escritor C. S. Lewis, célebre pela série *As crônicas de Nárnia*, diz que todos somos hoje arremedos de seres humanos, figuras pálidas do que deveria ser o homem.[10] Somos todos soldadinhos de chumbo em um ateliê. Mas um de nós, um dos soldadinhos, ganhou vida. O soldadinho vivo saiu pelo ateliê tocando um por um dos outros soldadinhos de chumbo para que se tornem homens de verdade. Hoje estamos vendo nossas pernas de metal sendo transformadas em carne e osso. O processo é lento e doloroso. Mas vale a pena.

Quando Jesus ora por seus talmidim pedindo que o Pai os inclua na *pericorese*, está dizendo mais ou menos o seguinte: "Eles ainda se parecem com soldadinhos de chumbo. Ainda não são plenamente humanos. Ainda não manifestam a plenitude da tua imagem e semelhança. Mas eu oro por eles, para que eles sejam integrados a nossa comunhão plena e eterna, para que um dia se complete o processo e eles desfrutem a vida eterna, o poder da ressurreição. Nesse dia, Pai, a tua glória será completa. Porque a tua glória, Pai, é o homem vivo".

ALIANÇA

39 Talmidim52

> *Enquanto comiam, Jesus tomou o pão, deu graças, partiu-o, e o deu aos seus discípulos, dizendo: "Tomem e comam; isto é o meu corpo". Em seguida tomou o cálice, deu graças e o ofereceu aos discípulos, dizendo: "Bebam dele todos vocês. Isto é o meu sangue da aliança, que é derramado em favor de muitos, para perdão de pecados. Eu lhes digo que, de agora em diante, não beberei deste fruto da videira até aquele dia em que beberei o vinho novo com vocês no Reino de meu Pai".*
> Mateus 26.26-29

A Páscoa é uma festa judaica que celebra a libertação do povo hebreu dos 430 anos de escravidão no Egito. Sua origem é a noite em que Moisés partiu do Egito com mais de dois milhões de descendentes dos patriarcas Abraão, Isaque e Jacó rumo a Canaã, a Terra Prometida. Também chamada *Pessach*, a Páscoa é celebrada anualmente no dia 14 de Nissan, o primeiro mês do calendário judaico, equivalente ao período entre os meses de abril e maio do calendário gregoriano.

A mensagem de Moisés ao faraó foi repetida várias vezes: "O Senhor, o Deus dos hebreus, veio ao nosso encontro. Agora, deixe-nos fazer uma caminhada de três dias, adentrando o deserto, para oferecermos sacrifícios ao Senhor nosso Deus" (Êx 3.18). Desde o início Moisés fora avisado da resistência do rei do Egito: "Eu sei que o rei do Egito não os deixará sair, a não ser que uma poderosa mão o force. Por isso estenderei a minha mão e ferirei os egípcios com todas as maravilhas que realizarei no meio deles. Depois disso ele os deixará sair" (Êx 3.19-20).

As maravilhas que Deus realizou no Egito para ferir os egípcios as conhecemos como pragas, dez ao total. A última praga foi a morte dos primogênitos:

> Disse, pois, Moisés ao faraó: "Assim diz o Senhor: 'Por volta da meia-noite, passarei por todo o Egito. Todos os primogênitos do Egito morrerão, desde o filho mais velho do faraó, herdeiro do trono, até o filho mais velho da escrava que trabalha no moinho, e também todas as primeiras crias do gado. Haverá grande pranto em todo o Egito, como nunca houve antes nem jamais haverá. [...] Então vocês saberão que o Senhor faz distinção entre o Egito e Israel!'".
> Êxodo 11.4-7

Os primogênitos do povo hebreu foram poupados porque suas casas estavam cobertas pelo sangue de um cordeiro imaculado, conforme Deus os havia orientado:

Digam a toda a comunidade de Israel que no décimo dia deste mês todo homem deverá separar um cordeiro ou um cabrito, para a sua família, um para cada casa. Se uma família for pequena demais para um animal inteiro, deve dividi-lo com seu vizinho mais próximo, conforme o número de pessoas e conforme o que cada um puder comer. O animal escolhido será macho de um ano, sem defeito, e pode ser cordeiro ou cabrito. Guardem-no até o décimo quarto dia do mês, quando toda a comunidade de Israel irá sacrificá-lo, ao pôr do sol. Passem, então, um pouco do sangue nas laterais e nas vigas superiores das portas das casas nas quais vocês comerão o animal. Naquela mesma noite comerão a carne assada no fogo, juntamente com ervas amargas e pão sem fermento. Não comam a carne crua, nem cozida em água, mas assada no fogo: cabeça, pernas e vísceras. Não deixem sobrar nada até pela manhã; caso isso aconteça, queimem o que restar. Ao comerem, estejam prontos para sair: cinto no lugar, sandálias nos pés e cajado na mão. Comam apressadamente. Esta é a Páscoa do SENHOR. Naquela mesma noite passarei pelo Egito e matarei todos os primogênitos, tanto dos homens como dos animais, e executarei juízo sobre todos os deuses do Egito. Eu sou o SENHOR! O sangue será um sinal para indicar as casas em que vocês estiverem; quando eu vir o sangue, passarei adiante. A praga de destruição não os atingirá quando eu ferir o Egito.

Êxodo 12.3-13

A partir dessa experiência no Egito foi instituída a Páscoa como festa memorial:

Este dia será um memorial que vocês e todos os seus descendentes o comemorarão como festa ao SENHOR. Celebrem-no como decreto perpétuo. [...] Quando os seus filhos lhes perguntarem: "O que significa esta cerimônia?", respondam-lhes: "É o sacrifício da Páscoa ao SENHOR, que passou sobre as casas dos israelitas no Egito e poupou nossas casas quando matou os egípcios".

Êxodo 12.14,26-27

Passados mais de dois mil anos, os descendentes de Abraão, Isaque e Jacó estão novamente vivendo sob a opressão de um império estrangeiro. Os hebreus aguardam um novo Moisés e um novo rei Davi. Aguardam o Messias. Quando Jesus entra em cena na Palestina ocupada pelos romanos, João Batista acende um holofote sobre ele e diz: "Eis o Cordeiro de Deus, que tira o pecado do mundo!" (Jo 1.29, RA). Com absoluta certeza, cada judeu em Israel lembrou imediatamente do sangue do cordeiro aspergido sobre os umbrais das portas e janelas na noite em que o anjo da morte passou sobre o Egito.

Na noite em que celebrava a Páscoa com seus talmidim:

Enquanto comiam, Jesus tomou o pão, deu graças, partiu-o, e o deu aos seus discípulos, dizendo: "Tomem e comam; isto é o meu corpo". Em seguida tomou o cálice, deu graças e o ofereceu aos discípulos, dizendo: "Bebam dele todos vocês. Isto é o meu sangue da aliança, que é derramado em favor de muitos, para perdão de pecados. Eu lhes digo que, de agora em diante, não beberei deste fruto da videira até aquele dia em que beberei o vinho novo com vocês no Reino de meu Pai".

Mateus 26.26-29

A partir desse dia os talmidim de Jesus deixaram de celebrar a Páscoa judaica e passaram a celebrar a memória do "Cordeiro de Deus que tira o pecado do mundo". Jesus estabelece a Nova Aliança.

Ora, a primeira aliança [na Lei de Moisés] tinha regras para a adoração e também um tabernáculo [santuário] terreno. Foi levantado um tabernáculo; na parte da frente, chamada Lugar Santo, estavam o candelabro, a mesa e os pães da Presença. Por trás do segundo véu havia a parte chamada Lugar Santíssimo, onde se encontravam o altar de ouro para o incenso e a arca da aliança, totalmente revestida de ouro. Nessa arca estavam o vaso de ouro contendo o maná, a vara de Arão que floresceu e as tábuas da aliança. Acima da arca estavam os querubins da Glória, que com sua sombra cobriam a tampa da arca. A respeito dessas coisas não cabe agora falar detalhadamente. Estando tudo assim preparado, os sacerdotes entravam regularmente no Lugar Santo do tabernáculo, para exercer o seu ministério. No entanto, somente o sumo sacerdote entrava no Santo dos Santos, apenas uma vez por ano, e nunca sem apresentar o sangue do sacrifício, que ele oferecia por si mesmo e pelos pecados que o povo havia cometido por ignorância. Dessa forma, o Espírito Santo estava mostrando que ainda não havia sido manifestado o caminho para o Santo dos Santos enquanto ainda permanecia o primeiro tabernáculo.

Isso é uma ilustração para os nossos dias, indicando que as ofertas e os sacrifícios oferecidos não podiam dar ao adorador uma consciência perfeitamente limpa. Eram apenas prescrições que tratavam de comida e bebida e de várias cerimônias de purificação com água; essas ordenanças exteriores foram impostas até o tempo da nova ordem. Quando Cristo veio como sumo sacerdote dos benefícios agora presentes, ele adentrou o maior e mais perfeito tabernáculo, não feito pelo homem, isto é, não pertencente a esta criação. Não por meio de sangue de bodes e novilhos, mas pelo seu próprio sangue, ele entrou no Santo dos Santos, uma vez por todas, e obteve eterna redenção. Ora, se o sangue de bodes e touros e as cinzas de uma novilha espalhadas sobre os que estão cerimonialmente impuros os santificam de forma que se tornam exteriormente puros, quanto mais o sangue de Cristo, que pelo Espírito eterno se ofereceu de forma imaculada a Deus, purificará a nossa consciência de atos que levam à morte, de modo que sirvamos ao Deus vivo! Por essa razão, Cristo é o mediador de uma nova aliança para que os que são chamados recebam a promessa da herança eterna, visto que ele morreu como resgate pelas transgressões cometidas sob a primeira aliança.

Hebreus 9.1-15

As duas alianças podem ser comparadas resumidamente. A primeira aliança, simbolizada pela Páscoa nos dias de Moisés, estava baseada no sacrifício repetido de animais e não causava efeito "dentro" das pessoas, apenas purificava das transgressões e livrava da culpa (Hb 7.19; 8.6-13; 9.9-10). Era realizado pelos sacerdotes da ordem de Arão, homens que também necessitavam de purificação para si mesmos (Hb 7.11,27-28). A nova aliança, celebrada no sangue de Jesus, o Cordeiro de Deus, foi realizada nos céus e antes da fundação do mundo, por um sacerdote sem pecado (1Pe 1.19-20), apenas uma vez e com efeito eterno (Hb 7.27; 9.26-28), com o poder de aniquilar o pecado, aperfeiçoar o pecador e obter eterna redenção (Hb 7.19,25; 9.26-28).

Em Jesus Cristo temos a libertação de todas as nossas escravidões e cativeiros. Jesus Cristo estabelece a paz entre Deus e a humanidade. Em Jesus Cristo encontramos a provisão para o perdão de nossos pecados. Em Jesus Cristo somos libertos da culpa. No sacrifício de Jesus Cristo se sustenta a graça Deus, e sua disposição de se relacionar com a humanidade em amor, generosidade e bondade.

Aqueles horrorizados com a ideia de que o sacrifício de Jesus Cristo implica o crime hediondo de um pai que mata seu filho e a incoerência de um deus que mata o outro, devem lembrar que Deus é único e uno. Não são vários deuses, cada um fazendo uma coisa. Não existem vários deuses, um para matar e outro para morrer. A cruz de Jesus Cristo é o testemunho histórico da verdade eterna que Deus prefere morrer a matar. Entre destruir sua criação consumido pela ira e morrer incendiado de amor, Deus Filho anuncia alto, bom e gracioso som: Deus é amor.

O sacrifício de Jesus Cristo foi realizado de uma vez para todo o sempre. Foi um sacrifício suficiente e definitivo. Realizado na eternidade, sua repercussão é igualmente eterna. Realizado na própria economia interna da Santíssima Trindade, ali mesmo foi contido para que jamais se expressasse qualquer ordenamento sacrificial além do próprio sofrimento de Deus voltado contra si mesmo. Desde o sacrifício de Jesus Cristo na cruz do Calvário, nenhum outro sacrifício, humano ou de animais, ou de quaisquer realidades em todo o universo, absolutamente nenhum sacrifício pode ser legitimado em nome de Deus.

O sacrifício de Jesus, a doação voluntária que Jesus faz de si mesmo, nos liberta da necessidade de buscarmos satisfazer a Deus com nossos sacrifícios. Nosso relacionamento com Deus repousa em sua eterna graça, seu amor e sua bondade. Não mais sacrificamos ou nos sacrificamos por Deus e para Deus. Deus se sacrificou por nós e para nós. O sangue de Jesus Cristo derramado na cruz é provisão eterna para que o universo se sustente com a vida (auto)doada por Deus.

O evangelho de Jesus Cristo é libertador!

Jesus mesmo nos garantiu: Vocês "conhecerão a verdade, e a verdade os libertará [...] se o Filho os libertar, vocês de fato serão livres" (Jo 8.32,36). A libertação da escravidão no Egito e a Páscoa judaica ganham nova perspectiva no sacrifício de Jesus Cristo. Em Cristo Jesus somos livres do mal, do Maligno, do inferno e da morte. Somos livres do pecado, da condenação, da culpa e do medo. Somos livres de todo e qualquer cativeiro, e toda e qualquer escravidão. Livres da lógica sacrificial e da cultura meritocrática.

"Foi para a liberdade que Cristo nos libertou. Portanto, permaneçam firmes e não se deixem submeter novamente a um jugo de escravidão" (Gl 5.1).

Getsêmani

Então Jesus foi com seus discípulos para um lugar chamado Getsêmani e lhes disse: "Sentem-se aqui enquanto vou ali orar". Levando consigo Pedro e os dois filhos de Zebedeu, começou a entristecer-se e a angustiar-se. Disse-lhes então: "A minha alma está profundamente triste, numa tristeza mortal. Fiquem aqui e vigiem comigo". Indo um pouco mais adiante, prostrou-se com o rosto em terra e orou: "Meu Pai, se for possível, afasta de mim este cálice; contudo, não seja como eu quero, mas sim como tu queres". Depois, voltou aos seus discípulos e os encontrou dormindo. "Vocês não puderam vigiar comigo nem por uma hora?", perguntou ele a Pedro. "Vigiem e orem para que não caiam em tentação. O espírito está pronto, mas a carne é fraca". E retirou-se outra vez para orar: "Meu Pai, se não for possível afastar de mim este cálice sem que eu o beba, faça-se a tua vontade". Quando voltou, de novo os encontrou dormindo, porque seus olhos estavam pesados. Então os deixou novamente e orou pela terceira vez, dizendo as mesmas palavras. Depois voltou aos discípulos e lhes disse: "Vocês ainda dormem e descansam? Chegou a hora! Eis que o Filho do homem está sendo entregue nas mãos de pecadores. Levantem-se e vamos! Aí vem aquele que me trai!".
Mateus 26.36-46

O Getsêmani é um portal. Podemos imaginar Jesus caindo de joelhos e fazendo uma viagem pela eternidade. Escapando do tempo e voltando ao coração da Trindade Santa para reviver uma conversa cheia de amor e sofrimento.

— Eu vou criar — diz Deus Pai.
— O que vamos criar? — pergunta Deus Filho.
— Vamos criar um ser à nossa imagem e semelhança.
Deus Espírito entra na conversa:
— Um ser à nossa imagem e semelhança será livre.
— Sim, será livre — diz o Pai.
— Sendo livre, poderá voltar-se contra nós. Poderá nos dar as costas. Poderá usar desta liberdade para dizer *não* ao nosso amor — diz o Filho.
— E o que faremos se este ser se voltar contra nós? Qual será a nossa reação quando ele usar sua liberdade contra nós, sem saber que está na verdade usando a liberdade que a ele concedemos contra si mesmo? Vamos deixar que ele caia no vazio e volte ao nada? — pergunta o Espírito.
— Fora de nós nada é — comenta o Pai em tom de misericórdia, como quem antecipa o sofrimento de tudo quanto pretende existir contra Deus.

Podemos imaginar que neste momento desta absurda conversa, Deus Filho se pronuncia de maneira ainda mais fora de qualquer lógica e razoabilidade humana:

— Se ele pular para fora de nós, eu pulo atrás dele. Se ele mergulhar na morte, eu mergulho também. Dou a minha vida pela dele. Vou buscá-lo e o trago de volta para a vida.

Essa é a razão de alguém já ter dito que antes de Deus pronunciar "Haja luz" pronunciou "Haja cruz". Essa suposta conversa entre as três pessoas da Trindade Santa explica porque "o precioso sangue de Cristo, como de um cordeiro sem mancha e sem defeito" é "conhecido antes da criação do mundo" (1Pe 1.19-20). A cruz de Cristo foi a condição para que o mundo pudesse ser criado. E não apenas o mundo, mas especialmente a raça humana.

No Getsêmani, Jesus está revivendo esta suposta conversa ocorrida na eternidade. Deus Pai sussurra aos ouvidos de Deus Filho:

— Chegou a sua hora.

O Filho se ajoelha em agonia profunda:

— É realmente necessário? Eu tenho que fazer isso?

— Sim, meu filho, essa é a minha vontade. É também a tua vontade. É a vontade de Deus Espírito. Esse é o nosso sacrifício comum. Esse é o sacrifício que nos dispusemos a fazer desde a eternidade em favor da nossa criação, especialmente pelo ser que criamos à nossa imagem e semelhança.

Jesus, Deus Filho encarnado, homem perfeito, age em nome de toda a humanidade, diz *não* para si mesmo e *sim* para Deus.

No Éden, o primeiro homem, Adão, agiu em nome de toda a humanidade e disse *sim* para si mesmo e *não* para Deus. No Getsêmani, Jesus age também em nome de toda a humanidade e faz a declaração que devolve todo o universo à comunhão da Trindade Santa: "não seja como eu quero, mas sim como tu queres" (Mt 26.39); "não a minha vontade, mas a tua vontade".

Deus Filho encarnado em Jesus, homem perfeito, revive na história o sacrifício voluntário feito desde a eternidade pela criação e pela humanidade. Jesus, homem perfeito, age sempre em nome de toda a humanidade dizendo *sim* à perfeita vontade de Deus.

"A minha comida é fazer a vontade daquele que me enviou", ensinou aos seus talmidim (Jo 4.34). Deixou claro que não age de maneira autônoma em relação a Deus Pai: "o Filho não pode fazer nada de si mesmo; só pode fazer o que vê o Pai fazer, porque o que o Pai faz o Filho também faz" (Jo 5.19). Nem mesmo exerce sua prerrogativa para fazer juízo e justiça sem ouvir o Pai: "o Pai a ninguém julga, mas confiou todo julgamento ao Filho. [...] Pois da mesma forma como o Pai tem vida em si mesmo, ele concedeu ao Filho ter vida em si mesmo. E deu-lhe autoridade para julgar, porque é o Filho do homem" (Jo 5.22,26). Ainda assim, o Filho não se atreve a agir "fora de Deus": "Por mim mesmo, nada posso fazer; eu julgo apenas conforme ouço, e o meu julgamento é justo, pois não procuro agradar a mim mesmo, mas àquele que me enviou" (Jo 5.30).

O Pai concede liberdade ao Filho. E o Filho devolve sua liberdade ao Pai. A conversão a Jesus Cristo é isso. A conversão é devolver a Deus o maior dom que ele nos concedeu: nossa liberdade.

Ser talmidim de Jesus implica usar a liberdade que recebemos de Deus para dizer *não* para nós mesmos e *sim* para ele, nosso Pai celestial.

A Bíblia Sagrada diz que nos convertemos dos ídolos ao único Deus vivo e verdadeiro (1Ts 1.9). Quais são os ídolos que deixamos para trás quando começamos a seguir a Jesus? Certamente abandonamos muitos ídolos. Mas com certeza o maior ídolo do ser humano é ele mesmo. Os meus maiores ídolos somos eu, a minha vontade, os meus sentimentos, os meus desejos, as minhas necessidades. O meu deus, com letra minúscula, atende pelo meu nome. Quero que o universo gire ao meu redor. Que nada me contrarie, que todos os meus anseios, sonhos e desejos, inclusive todos os meus caprichos, sejam realizados. Vivo como se eu mesmo fosse o deus a ser adorado.

A conversão a Jesus Cristo exige a morte do ego. Repetir as palavras e o coração de Jesus: "não a minha vontade, mas a tua". O chamado de Jesus para os seus talmidim não é outro senão a morte para si mesmo: "Se alguém quiser acompanhar-me, negue-se a si mesmo, tome a sua cruz e siga-me. Pois quem quiser salvar a sua vida, a perderá, mas quem perder a vida por minha causa, a encontrará" (Mt 16.24-25).

Para trazer o universo de volta para casa, Deus Filho se faz humano. Na forma humana, se faz servo, plenamente obediente ao Pai. Por isso tem poder de mergulhar na morte em nome e em busca de toda a humanidade. Em sua ressurreição, convida seus talmidim a que façam o mesmo. Diz que o caminho para a vida é a morte. Morrer para si mesmo, e viver para Deus. Cada talmidim de Jesus é chamado a seguir os seus passos: tomar a cruz, mergulhar na morte do ego e ressuscitar para a vida eterna.

O caminho de Jesus é também o caminho dos seus talmidim. Seguir a Jesus é devolver a Deus a liberdade que ele nos deu e viver não para nós mesmos, mas para Deus.

C. S. Lewis disse que "só há duas espécies de pessoas no final: as que dizem a Deus: 'Seja feita a tua vontade', e aquelas a quem Deus diz: 'A tua vontade seja feita'". Os talmidim de Jesus sabem discernir as vontades. E sabem qual delas deve prevalecer.

CORDEIRO

> *No dia seguinte João viu Jesus aproximando-se e disse: "Vejam!*
> *É o Cordeiro de Deus, que tira o pecado do mundo!".*
> João 1.29

"No princípio Deus criou os céus e a terra". Essas são as primeiras palavras da Bíblia Sagrada. Assim começa o livro do Gênesis. Deus é a origem de tudo. A narrativa da criação diz que "era a terra sem forma e vazia; trevas cobriam a face do abismo". Então Deus diz "haja luz" e tudo começa a ganhar forma e ordenamento. O que era caos e escuridão é transformado em jardim, a primeira casa da humanidade.

> O Senhor Deus formou o homem do pó da terra e soprou em suas narinas o fôlego de vida, e o homem se tornou um ser vivente. Ora, o Senhor Deus tinha plantado um jardim no Éden, para os lados do leste, e ali colocou o homem que formara. Então o Senhor Deus fez nascer então do solo todo tipo de árvores agradáveis aos olhos e boas para alimento. E no meio do jardim estavam a árvore da vida e a árvore do conhecimento do bem e do mal. [...] E o Senhor Deus ordenou ao homem: "Coma livremente de qualquer árvore do jardim, mas não coma da árvore do conhecimento do bem e do mal, porque no dia em que dela comer, certamente você morrerá".
> Gênesis 2.7-9,16-17

Para que a terra continuasse um jardim e a raça humana permanecesse no paraíso, Deus vetou o acesso à árvore do conhecimento do bem e do mal. De um lado, a árvore da vida, do outro, a árvore da morte. O primeiro casal comeu da árvore da morte. E o paraíso se desfez. Comer da árvore do conhecimento do bem e do mal é o que a tradição teológica do cristianismo chama de "pecado original". O pecado que resulta em morte: "o salário do pecado é a morte", disse o apóstolo Paulo (Rm 6.23), fazendo eco ao interdito de Gênesis 2.17.

Tradicionalmente o pecado é interpretado como uma transação moral entre Deus e a raça humana. Pecado, desse ponto de vista, foi desobedecer a Deus, deixar de cumprir uma ordem, fazer uma coisa proibida por Deus. De certa maneira, Deus é retratado como um ser passível de ser ofendido, um melindroso e caprichoso que castiga aqueles que não se comportam do jeito que ele quer ou não fazem o que ele manda.

O pecado, entretanto, não é uma questão moral. É uma questão ontológica. O pecado não tem a ver com atos morais, mas com a condição do ser. Deus "dá a todos a vida, o fôlego e as demais coisas", diz o apóstolo Paulo, lembrando aos cidadãos de Atenas o que seus poetas já haviam dito: "'Pois nele vivemos, nos movemos e existimos', como disseram alguns dos poetas de vocês: 'Também somos descendência dele'" (At 17.25,28).

Pecar é "pular para fora de Deus". Ou estamos em Deus, porque "nele vivemos, nos movemos e existimos", ou nos recusamos a viver em Deus. Ou temos o nosso ser sustentado no ser divino, ou dizemos *não* para Deus, e "pulamos para fora de Deus", acreditando que podemos dar sustentação ao próprio ser, como se tivéssemos vida em nós mesmos. Ou vivemos a vida que Deus nos empresta de si para que tenhamos condição de existir, ou rompemos com a fonte da vida. Pecar é romper com a fonte da vida e, portanto, cair no vazio, voltar ao nada de onde fomos chamados a existir. A consequência natural da reivindicação de autonomia em relação a Deus é deixar de existir, pois fora de Deus nada há e nada é.

A motivação do primeiro casal ao comer da árvore do conhecimento do bem e do mal era ser igual a Deus (Gn 3.5). O conhecimento do bem e do mal não está, pois, na ordem da moral, mas da ontologia. Implica a pretensão humana de recusa do estado de criatura dependente do Criador. O que chamamos de "pecado original" é a ilusão do homem que acredita ser autoexistente (que não tem origem anterior a si mesmo), autossuficiente (que não depende de uma fonte externa para sua subsistência) e autodeterminado (que não é afetado por nada exceto por si mesmo).

Outra metáfora possível seria imaginar meu braço querendo sair do corpo. Ele diz: "Eu não quero mais pertencer ao seu corpo". Tento dissuadi-lo de sua pretensão dizendo que se ele deixar de pertencer ao meu corpo vai morrer. Mas ele insiste e se autoamputa de mim. Ao sair de mim, fica se debatendo no chão. Volta-se para mim e diz: "Está vendo? Não morri". Lamentando muito, digo-lhe: "Aguarde um pouco mais e você verá sua morte chegar lentamente. Você vai morrer aos poucos". Ele sobrevive de energia residual, mas não tem vida em si mesmo. A vida do meu braço depende de estar ligado ao meu corpo.

Pense também num ventilador ligado à tomada. Ele pensa: "Não quero mais ficar ligado a essa tomada. Vou ventar por aí. Não quero mais ficar preso a fonte de energia. Vou ventar por mim mesmo". Então, desligado da tomada, continua ventando com energia residual, e pensa que venta por si. Mas logo, logo vai parar de ventar. Não demora muito, vai morrer.

Assim é o ser humano. Vive da vida que Deus lhe empresta. Comer da árvore do conhecimento do bem e do mal é amputar-se de Deus, desligar-se da tomada, romper com a fonte da vida.

A narrativa do Gênesis diz que no jardim do Éden existiam duas árvores: a árvore do conhecimento do bem e do mal, e a árvore da vida. O simbolismo do texto bíblico significa que Deus estava dizendo ao primeiro casal mais ou menos o seguinte: "Vocês podem comer da árvore da vida e viver em mim, por mim e comigo, e também podem comer da árvore do conhecimento do bem e do mal e tentar viver por si mesmos e para si mesmos. Mas não se esqueçam que fora de mim nada é e nada há. No dia em que 'pularem para fora de mim' vocês voltarão ao nada".

O mistério que ecoa em todo o universo é como pode Deus sustentar com vida um ser que decidiu existir desligado da fonte da vida? Como Deus sustenta a vida de quem deveria estar morto? A resposta do Evangelho é que "Deus morre a morte que esse ser em rebelião deveria morrer". Esse é o significado de "satisfazer a justiça de Deus". Não é uma questão moral. A questão moral é da ordem da Lei, tem a ver com legalidade. A questão da justiça tem a ver com equilíbrio do universo.

Jesus não morreu para satisfazer a legalidade. Jesus morreu para estabelecer o equilíbrio justo do universo. A pretensão de que algo exista fora de Deus implica o desequilíbrio de todo o universo. Alguém poderia perguntar: "Deus não poderia sustentar a vida sem que Jesus precisasse morrer? Deus não pode perdoar sem sacrificar a si mesmo? Não pode suspender o efeito da morte num ato de amor?".

Mas isso daria origem a outras perguntas: "Como saberíamos que Deus é amor? Tendo dito *não* para Deus e *sim* para nós mesmos, como saberíamos que Deus não se voltaria contra nós a qualquer momento? Qual seria o critério para que eu confiasse no amor de Deus por mim? Como seria revelado o caráter de Deus? Indo mais adiante, um ser que existe fora de Deus acreditando existir por si mesmo, ter vida autônoma em relação a Deus, acredita também ser deus ou, no mínimo, igual a Deus. Como saberíamos qual dos deuses seria o padrão de justiça para o universo criado? A quem seria atribuída a existência da maldade e o consequente sofrimento que dela advém?".

Por essas razões a Bíblia Sagrada afirma que Jesus morreu "antes da fundação do mundo" (1Pe 1.20). A cruz de Cristo manifestou na história o autossacrifício de Deus, morrendo nossa morte, antes da fundação do mundo. Olhando para a cruz de Jesus Cristo e contemplando a morte de Jesus Cristo, consigo discernir o ato de amor de Deus não apenas ao criar, mas também em sustentar um ser rebelde que pensa que é deus. Olhando para a cruz de Cristo compreendo que houve necessidade de um sacrifício para que eu tivesse vida, para que eu viesse a existir, para que eu fosse criado e fosse sustentado na existência. Olhando para a cruz de Cristo posso compreender que a vida que vivo não se sustenta em mim mesmo, mas no amor de Deus por mim, que não apenas me concede vida, mas insiste em me conceder vida quando insisto em dar passos em direção à morte. Olhando para a cruz de Cristo posso crer que Deus é amor, que Deus me ama.

Olhando para a cruz de Cristo encontro o critério para chamar mal de mal e bem de bem. Encontro resposta para o sofrimento. E contemplo um Deus que sofre por amor. Um Deus que morre por amor. Um Deus que, entre deixar sua criação voltar ao nada e se desmanchar no ar, escolhe se sacrificar e morrer para continuar doando vida.

O universo onde vivemos tem um critério. O critério do universo é o amor de Deus. O amor de Deus revelado na cruz de Cristo, Cordeiro de Deus que tira o pecado do mundo. O Cordeiro de Deus que morreu a nossa morte, para que pudéssemos viver a sua vida.

Deus nos reconciliou consigo por meio de Cristo. Deus estava em Cristo reconciliando consigo o mundo, não lançando em conta os pecados dos homens. Deus tornou pecado por nós aquele que não tinha pecado, para que nele nos tornássemos justiça de Deus (2Co 5.18-21).

Paradoxo

> *Israelitas, ouçam estas palavras: Jesus de Nazaré foi aprovado por Deus diante de vocês por meio de milagres, maravilhas e sinais que Deus fez entre vocês por intermédio dele, como vocês mesmos sabem. Este homem lhes foi entregue por propósito determinado e pré-conhecimento de Deus; e vocês, com a ajuda de homens perversos, o mataram, pregando-o na cruz. Mas Deus o ressuscitou dos mortos, rompendo os laços da morte, porque era impossível que a morte o retivesse.*
> Atos 2.22-24

Quem matou Jesus? A primeira resposta poderia ser simplesmente: "os judeus mataram Jesus". Essa resposta sustenta boa parte do antissemitismo. O injustificável ódio aos judeus ainda hoje se explica também pela equivocada compreensão de que os judeus foram os únicos responsáveis pela morte de Jesus.

Outra resposta possível para a pergunta "quem matou Jesus?" poderia ser: os romanos, o Império Romano matou Jesus. Mas também podemos responder dizendo que nós matamos Jesus, todos nós. O povo que gritou a respeito de Jesus "Crucifica-o, crucifica-o" e escolheu dar liberdade a Barrabás representa todos nós (Mt 27.17-22). Nós, todos nós, matamos Jesus. Não apenas os judeus e os romanos. Nós. Eu matei Jesus. Você matou Jesus.

Também seria possível afirmar que, na verdade, Jesus é o grande responsável pela sua própria morte. Ele escolheu morrer: a minha vida "ninguém a tira de mim, mas eu a dou por minha espontânea vontade", disse certa vez aos seus talmidim (Jo 10.18).

Alguém que dissesse que Jesus morreu por vontade de Deus Pai também estaria certo: "Porque Deus tanto amou o mundo que deu o seu Filho Unigênito, para que todo o que nele crer não pereça, mas tenha a vida eterna" (Jo 3.16).

Afinal de contas, quem matou Jesus?

Os judeus eram colônia do Império Romano. As colônias tinham certa autonomia política e religiosa. Os judeus, por exemplo, tinham seu rei, Herodes, e seu tribunal religioso, o Sinédrio. Caifás, o sumo sacerdote dos judeus, convenceu o Sinédrio de que seria melhor deixar um só homem morrer do que todo o povo (Jo 11.50). Acreditava que a popularidade crescente de Jesus e o desejo do povo de fazê-lo rei poderia suscitar uma insurreição contra Roma e despertar a ira do imperador, que ordenaria a matança cruel e impiedosa de todos os judeus.

A articulação de Caifás foi necessária porque Roma não autorizava a pena de morte para crimes religiosos, considerados questões internas das colônias. Os representantes do Sinédrio entregam Jesus a Pilatos, governador romano da província da Judeia, com a seguinte argumentação: "Este homem está dizendo que é o nosso Messias, o nosso rei, e o povo está acreditando nele. Se você permitir que isso vá adiante, daqui a pouco vai haver um levante contra César e contra Roma. Quando César ficar sabendo que você permitiu que isso acontecesse, vai mandar o seu exército e todos seremos esmagados, inclusive você. Nosso tribunal religioso já condenou Jesus como falso Messias, mas você precisa condená-lo como criminoso político e ordenar a sua morte".

As autoridades judaicas da época condenaram Jesus por blasfêmia, e por essa razão o consideraram um Messias impostor e um pretensioso usurpador do trono de Israel. Apesar de Pilatos "lavar as mãos" e dizer que "não via nenhuma intenção ou ato criminoso em Jesus", permitiu que ele fosse morto sob a acusação de crime de sedição. A placa pendurada na cruz de Jesus identificando o crime pelo qual havia sido condenado trazia a inscrição "rei dos judeus" (Jo 19.19).

O apóstolo Pedro, entretanto, afirmou o paradoxo da morte de Jesus:

> Israelitas, ouçam estas palavras: Jesus de Nazaré foi aprovado por Deus diante de vocês por meio de milagres, maravilhas e sinais, que Deus fez entre vocês por intermédio dele, como vocês mesmos sabem. Este homem lhes foi entregue por propósito determinado e pré-conhecimento de Deus; e vocês, com a ajuda de homens perversos, o mataram, pregando-o na cruz. Mas Deus o ressuscitou dos mortos, rompendo os laços da morte, porque era impossível que a morte o retivesse.
>
> Atos 2.22-24

Ao mesmo tempo em que afirma que "vocês, com a ajuda de homens perversos, o mataram", diz também que "este homem lhes foi entregue por propósito determinado e pré-conhecimento de Deus". Por trás das ações humanas existia um determinado propósito de Deus.

Quem olha de baixo para cima e afirma "nós matamos Jesus" está correto. Quem olha de cima para baixo e acredita que "Deus entregou seu Filho por amor a nós" e "Jesus espontaneamente deu a sua vida por nós" também está correto. Eis o grande paradoxo da morte de Jesus. A morte de Jesus é ao mesmo tempo um ato hediondo cometido por nós e um autossacrifício de amor.

Na morte de Jesus há duas realidades presentes. A responsabilidade humana ao dizer *não* para Deus, e o amor de Deus em dizer *sim* para a raça humana. Na dramatização histórica, a rejeição a Jesus é a rejeição a Deus. O oposto também é verdadeiro: "Jesus disse em alta voz: 'Quem crê em mim, não crê apenas em mim, mas naquele que me enviou. Quem me vê, vê aquele que me enviou'" (Jo 12.44-45). Quando dizemos *não* para Jesus, dizemos também *não* para Deus. Mas na cruz do Calvário Deus diz *sim* para todos nós. A cruz de Jesus é o paradoxo de Deus e dos homens.

Ao mesmo tempo em que sacrificamos a Jesus, por causa do nosso pecado, isto é, nossa rejeição a Deus, Deus se sacrifica por nós, num ato de amor para nos perdoar o pecado. Porque Deus nos disse *sim* também podemos dizer *sim* para Deus: Amamos a Deus porque ele nos amou primeiro (1Jo 4.19).

Nós matamos Jesus. Mas Jesus se deixou matar por nós. O ponto de encontro entre as duas verdades paradoxais é a conversão ao Evangelho.

VIDA

> *Por que vocês estão procurando entre
> os mortos aquele que vive?*
> LUCAS 24.5

A ressurreição de Jesus é absolutamente essencial à fé cristã.

Se Jesus Cristo não ressuscitou, é vã a nossa fé (1Co 15.17). É a ressurreição que dá sentido à encarnação, às palavras, aos atos e, principalmente, à morte de Jesus Cristo. "Eu creio na ressurreição do corpo", diz o Credo Apostólico, a mais antiga das confissões cristãs, originária das liturgias batismais da Igreja dos primeiros séculos. O cristianismo é a fé na ressurreição.

Durante muitos anos acreditei que a mensagem central do evangelho de Jesus Cristo fosse a necessidade de arrependimento e fé para o recebimento do perdão dos nossos pecados. Mas isso é apenas parcialmente verdadeiro. A verdade completa é que a mensagem central do evangelho é a promessa da ressurreição. É a vitória sobre a morte.

Resumir o evangelho ao perdão dos pecados sugere um equívoco na compreensão da distinção que a Bíblia Sagrada faz entre pecado e pecados. Os pecados são morais, estão na categoria dos pensamentos e sentimentos, das ações e omissões, do mal que praticamos e do bem que deixamos de fazer. Mas a Bíblia fala também do pecado como condição do ser humano em relação a Deus. O pecado, no singular, é o ato de rebelião contra Deus, a pretensão humana de existir sem depender de Deus.

O ato de reivindicar independência em relação a Deus, como já conversamos a respeito, é semelhante ao ventilador que quer se desligar da tomada e ao braço que quer existir fora do corpo. Deus é a fonte da vida. O pecado consiste na ruptura do relacionamento da criatura com o Criador. A criatura, que não tem vida em si mesma, ao romper com sua fonte de vida, despenca para a morte.

A convocação do evangelho é para o arrependimento, a fim de que Deus conceda perdão pelos pecados cometidos. O apelo do evangelho é essencialmente para a reconciliação da criatura com o Criador. O maior conflito do ser humano não é sua culpa, é sua condição de mortalidade.

A expressão comum que nos convida a "receber Jesus como Salvador" ou "receber a salvação oferecida por Jesus" não se restringe ao perdão de Deus para coisas como a mentira, o roubo, o assassinato ou quaisquer coisas ruins que uma pessoa faz ou coisas boas que deixa de fazer. A promessa de Jesus não é apenas perdão. É ressurreição.

Porque a vontade de meu Pai é que todo aquele que olhar para o Filho e nele crer tenha a vida eterna, e eu o ressuscitarei no último dia. [...] Eu lhes digo a verdade: Se vocês não comerem a carne do Filho do homem e não beberem o seu sangue, não terão vida em si mesmos. Todo aquele que come a minha carne e bebe o meu sangue tem a vida eterna, e eu o ressuscitarei no último dia. Pois a minha carne é verdadeira comida e o meu sangue é verdadeira bebida. Todo aquele que come a minha carne e bebe o meu sangue permanece em mim e eu nele. Da mesma forma como o Pai que vive me enviou e eu vivo por causa do Pai, assim aquele que se alimenta de mim viverá por minha causa.

João 6.40,53-57

O problema da raça humana não é o pecado em sua dimensão moral. É a pecaminosidade, a pecabilidade, a incapacidade de resistir ao mal e deixar de pecar. "Fui vendido como escravo ao pecado", confessou o apóstolo Paulo, falando de uma experiência comum a todos os seres humanos.

Não entendo o que faço. Pois não faço o que desejo, mas o que odeio. E, se faço o que não desejo, admito que a Lei é boa. Neste caso, não sou mais eu quem o faz, mas o pecado que habita em mim. Sei que nada de bom habita em mim, isto é, em minha carne [em mim mesmo, desligado da fonte da vida]. Porque tenho o desejo de fazer o que é bom, mas não consigo realizá-lo. Pois o que faço não é o bem que desejo, mas o mal que não quero fazer, esse eu continuo fazendo. Ora, se faço o que não quero, já não sou eu quem o faz, mas o pecado que habita em mim.

Romanos 7.15-20

A morte física é a constatação explícita e clara da finitude humana. Mas, antes da morte do corpo, convivemos com toda sorte de debilidades, estamos suscetíveis a enfermidades e envelhecemos. O espelho nos coloca de frente com nossa finitude todos os dias. Lembra-nos a todo instante que não temos vida em nós mesmos, e que não sustentamos a própria existência.

O fato de não nos sustentarmos na existência significa, inclusive, que não conseguimos sustentar desejos, anseios e aspirações, inclusive o propósito de não praticar o mal e o compromisso de fazer o bem. Não basta ao homem saber o que é bom para conseguir realizá-lo. Essa é uma prova empírica da finitude e uma constatação de que aqueles que intuíram o pecado como condição humana discerniram acertadamente.

O perdão para os pecados é apenas parte da salvação. A salvação consiste na superação da finitude, na restauração da plena humanidade criada à imagem e semelhança de Deus. A salvação implica a vitória sobre a morte, pois enquanto convivemos com a morte e a mortalidade "gememos interiormente, esperando ansiosamente nossa adoção como filhos, a redenção do nosso corpo"(Rm 8.23).

De nada adiantaria Deus nos levar para o céu sem nos libertar da nossa condição de pecado. Rapidamente transformaríamos o paraíso num inferno. Repetiríamos o que fizemos no Gênesis. Começaríamos matando um irmão e espalharíamos a violência antropofágica até que os anjos levantassem suas espadas contra nós e nos colocassem para fora do paraíso novamente.

Apenas três seres humanos experimentaram a existência sem pecado: Adão, Eva e Jesus de Nazaré. Dos três, apenas Jesus de Nazaré permaneceu sem pecado. A teologia cristã ensina que o homem em comunhão com Deus pode não pecar. Enquanto experimenta a existência sem pecado, pode não cometer pecados. Mas o homem em rebelião contra Deus não pode não pecar, isto é, sem comunhão com Deus o homem é incapaz de resistir ao poder do pecado. Jesus foi o único ser humano que venceu a luta contra o pecado, o único que viveu sem cometer pecados. Jesus é aquele que pode nos estender a mão, pois, "como nós, passou por todo tipo de tentação, porém, sem pecado" (Hb 4.15).

Porque Jesus viveu sem pecado, foi impossível que a morte o retivesse em suas garras (At 2.24). A morte não tem poder sobre um ser humano que não experimentou o pecado. Quem não se desliga da fonte da vida, não pode ser vencido pela morte.

A ressurreição de Jesus é uma prova de sua perfeita humanidade. O ser humano sem pecado pode vencer a morte. E por essa razão pode morrer em favor de toda a humanidade. O único ser humano que não precisava e não merecia morrer foi Jesus de Nazaré. E, porque não precisava morrer, ao morrer ressuscita. E quantas vezes morresse, tantas vezes ressuscitaria.

A Bíblia afirma:

> Cristo ressuscitou dentre os mortos, sendo as primícias dentre aqueles que dormiram. Visto que a morte veio por meio de um só homem, também a ressurreição dos mortos veio por meio de um só homem. Pois da mesma forma como em Adão todos morrem, em Cristo todos serão vivificados. Mas cada um por sua vez: Cristo, o primeiro; depois, quando ele vier, os que lhe pertencem. Então virá o fim, quando ele entregar o Reino a Deus, o Pai, depois de ter destruído todo domínio, autoridade e poder. Pois é necessário que ele reine até que todos os seus inimigos sejam postos debaixo de seus pés. O último inimigo a ser destruído é a morte.
>
> 1Coríntios 15.20-26

Jesus Cristo morreu a nossa morte para nos fazer participantes de sua vida. Venceu a morte em nome de toda a humanidade, para doar vida novamente a todos os homens. Paul Evdokimov, teólogo russo, diz com rara beleza que "a cruz de Cristo é a árvore da vida plantada no monte Calvário".[11]

O simbolismo é perfeito. A humanidade que se apropria da morte de Jesus Cristo representa Adão e Eva que, ao invés de comer da árvore do conhecimento do bem e do mal para romper com Deus, comem da árvore da vida para que se tornem para sempre participantes da vida de Deus. A morte e a ressurreição de Jesus Cristo são a vitória de Deus sobre o pecado e a morte, e também sobre o mal, a maldade e o Maligno.

Ser salvo por Jesus Cristo é mais do que receber perdão pelos pecados. É mais do que ir a um lugar paradisíaco chamado céu após a morte física. Ser salvo por Jesus Cristo é vencer a morte, superar a finitude, vir a ser humano em plenitude e perfeição, participante da natureza divina. Salvação é ressurreição.

> *Quando estava à mesa com eles, tomou o pão, deu graças, partiu-o e o deu a eles. Então os olhos deles foram abertos e o reconheceram, e ele desapareceu da vista deles. Perguntaram-se um ao outro: "Não estava queimando o nosso coração enquanto ele nos falava no caminho e nos expunha as Escrituras?".*
> LUCAS 24.30-32

Após a morte de Jesus, com exceção dos onze primeiros chamados apóstolos que ficaram escondidos nas proximidades de Jerusalém, houve uma grande dispersão dos talmidim de Jesus. Roma havia agido de maneira implacável contra "o rei dos judeus" e exposto o inocente Jesus de Nazaré como o pior dos criminosos, cravando seu corpo numa cruz no monte Calvário. Aqueles que enxergaram em Jesus apenas um libertador político que levaria Israel de volta aos seus dias de prosperidade perderam todas as esperanças e começaram a voltar para casa. Num piscar de olhos, todos os sonhos alimentados durante o tempo em que seguiram os passos do nazareno pela Palestina de então caíram por terra. Muitos dos talmidim de Jesus ficaram convencidos de que haviam sido enganados por um falso Messias.

Os homens que haviam deixado casa, família e tudo o mais para seguir a Jesus acordaram de um sonho e puseram os pés na estrada, voltando para sua velha maneira de viver. Essa parece ser a experiência desses dois homens que caminham em direção à pequena cidade de Emaús.

Enquanto caminham, Jesus se aproxima e segue passo a passo com eles. "Mas os olhos deles foram impedidos de reconhecê-lo" (Lc 24.16). Seus olhos estavam encobertos por uma falsa compreensão de Jesus. Suas ideias a respeito dele não correspondiam aos fatos. Esperavam que Jesus declarasse guerra conta Roma e milagrosamente, pelo poder de Deus, destruísse os exércitos romanos, assim como em tantas outras ocasiões havia acontecido na história de Israel. Mas Jesus havia frustrado essas expectativas e agora estava morto, pensavam eles. A crença num Jesus imaginário os impediu de reconhecer o Jesus real. Isso acontece com muita gente nos dias de hoje. A idealização que fazemos das pessoas nos impede de vê-las como realmente são.

Jesus entra na conversa daqueles homens "e começando por Moisés e todos os profetas, explicou-lhes o que constava a respeito dele em todas as Escrituras" (Lc 24.27). As palavras de Jesus vão penetrando fundo em seu entendimento e fazendo a esperança começar a voltar. Aos poucos o coração deles está em chamas novamente.

> Ao se aproximarem do povoado para o qual estavam indo, Jesus fez como quem ia mais adiante. Mas eles insistiram muito com ele: "Fique conosco, pois a noite já vem; o dia já está quase findando". Então, ele entrou para ficar com eles. Quando estava à mesa com eles, tomou o pão, deu graças, partiu-o e o deu a eles. Então os olhos deles foram abertos e o reconheceram, e ele desapareceu da vista deles.
>
> Lucas 24.28-31

Quando estava à mesa com eles, Jesus fez algo que havia repetido incontáveis vezes enquanto tinha convivido com aqueles homens. Tomou o pão, deu graças e o partiu. "Então os olhos deles foram abertos e o reconheceram, e ele desapareceu da vista deles", diz Lucas (24.31).

No exato momento em que seus olhos são abertos, isto é, quando conseguem distinguir entre o Jesus imaginário e o Jesus real, o Jesus desejado e o Jesus profetizado nas Escrituras, Jesus desaparece da vista deles.

Lembro de uma história que foi contada por um missionário cristão que vivia em uma pequena aldeia numa remota praia da América Central. Conversando com um pequeno grupo de pescadores justamente sobre a ressurreição e essa passagem do encontro de Jesus com os talmidim de Emaús, um deles perguntou: "Para onde foi Jesus quando desapareceu?". Antes mesmo que o missionário conseguisse articular uma explicação, outro pescador, analfabeto, respondeu com a maior naturalidade do mundo: "Entrou neles".

Acredito que o pescador respondeu de maneira perfeita. No momento em que recebemos a revelação a respeito de quem Jesus é de fato e nos encontramos com o poder da ressurreição, Jesus deixa de ser alguém que está fora de nós e se torna uma realidade dentro de nós. Essa foi a experiência que levou o apóstolo Paulo a afirmar "já não sou eu quem vive, mas Cristo vive em mim" (Gl 2.20). O mistério que esteve oculto durante séculos, épocas e gerações, mas foi revelado aos talmidim de Jesus, é exatamente esse: Cristo em nós (Cl 1.27).

O salto da fé no Cristo ressurreto implica deixar de depender do Cristo que está do lado de fora de nós, aquele a quem veneramos e a quem pedimos favores, para que o Cristo ressurreto que habita em nós viva por meio de nós, viva em nós.

Em Antioquia os talmidim de Jesus foram pela primeira vez chamados "cristãos" (At 11.26). A palavra "cristão" significa literalmente "pequeno Cristo". Quando vem habitar em nós e nos tornamos um com ele, Cristo deixa de estar do lado de fora, onde podemos vê-lo, e passa a ser visto em nós.

Quando Cristo vive em nós, já não pedimos que ele faça por nós. Ele é quem espera que façamos por ele. Quando Cristo vive em nós, não dependemos mais de Jesus para transformar água em vinho, curar os cegos, fazer os aleijados andarem. Quando Cristo vive em nós, nos tornamos protagonistas da mesma missão que Jesus cumpriu na terra entre os homens: "Assim como o Pai me enviou, eu os envio" (Jo 20.21).

Impactados pelo poder da ressurreição, aqueles dois talmidim de Emaús se levantaram e voltaram para Jerusalém (Lc 24.33). Assumiram a responsabilidade de testemunhar que no universo de Deus a vida tem a última palavra. Todos que são do Cristo, e que estão em Cristo, se rebelam contra a morte e todas as suas manifestações. Porque vivemos sob o poder da ressurreição, enfrentamos a morte em todas as suas dimensões: física, psíquica, emocional e espiritual. E também em seus aspectos social, político e relacional. No poder da ressurreição, promovemos a vida. Desde aqui e agora, até que a morte, o último inimigo a ser vencido, seja destruída.

Jesus Cristo é a vida de Deus em nós. Jesus Cristo vive em nós. Os talmidim de Jesus olhamos para a morte com cara de ressurreição.

LÁZARO

> *Enquanto isso, uma grande multidão de judeus, ao descobrir que Jesus estava ali, veio, não apenas por causa de Jesus, mas também para ver Lázaro, a quem ele ressuscitara dos mortos.*
> João 12.9

As pessoas querem ver os homens em quem o poder da ressurreição se manifestou. Todo discípulo de Jesus Cristo é uma testemunha da ressurreição.

Existem diferentes maneiras de testemunhar a respeito de Jesus. Paulo, apóstolo, por exemplo, conta o que era antes de ser encontrado por Jesus, e a mudança que ocorreu em sua vida após a conversão ao Evangelho: "anteriormente fui blasfemo, perseguidor e insolente; mas alcancei misericórdia, porque o fiz por ignorância e na minha incredulidade; contudo, a graça de nosso Senhor transbordou sobre mim, juntamente com a fé e o amor que estão em Cristo Jesus" (1Tm 1.13-14).

O encontro com Jesus tem mesmo esse poder de transformar as pessoas. A história de vida dos talmidim está dividida em antes e depois de Jesus. A Bíblia conta a história de um cego de nascença que foi curado por Jesus. O testemunho do cego foi extraordinário e convincente: Jesus me curou. Eu era cego, agora vejo (Jo 9.25).

Mas há algo mais no testemunho dos talmidim de Jesus. Não basta dizer o que Jesus fez na sua vida. É preciso mais. Jesus condicionou o testemunho de seus talmidim ao poder do Espírito Santo. Deixou claro que eles não deveriam fazer nada antes de receberem o Espírito Santo. Na verdade, deu uma ordem muito clara para que apenas esperassem, até que o Espírito Santo fosse derramado sobre eles:

> Não saiam de Jerusalém, mas esperem pela promessa de meu Pai, da qual lhes falei. [...] Mas receberão poder quando o Espírito Santo descer sobre vocês, e serão minhas testemunhas em Jerusalém, em toda a Judeia e Samaria, e até os confins da terra.
> Atos 1.4,8

O cego de nascença ainda não havia experimentado o derramar do Espírito Santo. O Espírito Santo só foi derramado depois da morte, ressurreição e ascensão de Jesus. O cego de nascença contou o que Jesus fez em sua vida, mas não foi isso o que Jesus chamou de "ser testemunha". Dizer o que Jesus fez e faz é uma forma de testemunhar. Mas ser testemunha do poder da ressurreição implica estar revestido desse poder. Resulta de viver sob esse poder de tal forma que a própria vida de Cristo se reproduz em nós. Quando isso acontece, as pessoas ao redor começam a reparar que somos de fato parecidos com Jesus.

Os apóstolos viveram essa experiência. Os homens que observaram a vida deles "ficaram admirados e reconheceram que eles haviam estado com Jesus" (At 4.13).

Testemunhar é mais do que contar histórias a respeito de Jesus. É dramatizar a própria vida de Jesus, é transbordar Jesus, exalar Jesus, ser uma expressão visível de Jesus. Lázaro é o protótipo da testemunha. Um homem impactado pelo poder da ressurreição, e que por isso mesmo atrai a atenção das pessoas ao seu redor. Elas querem ver o que acontece com um homem que experimenta o poder da ressurreição.

Quando falo de um Jesus que está do lado de fora de mim, digo o que ele faz e o que ele pode fazer. As pessoas olham para onde eu aponto. E eu aponto para Jesus. Mas, quando falo a respeito do Cristo que vive em mim, não aponto em direção alguma, simplesmente vivo, e a presença de Jesus é percebida em mim. Enquanto Cristo vive em mim, vou me tornando um homem tão profundamente diferente que somente se explica pelo poder da ressurreição.

"Pregue o evangelho o tempo todo, e se necessário use as palavras", disse Francisco de Assis. Esse é o teste do testemunho cristão: revelar Jesus sem palavras. Viver de maneira a expressar Jesus em ações, atitudes e jeito de viver coerente com o caráter, os propósitos e os valores do Cristo.

Ser discípulo de Jesus vai além de acreditar em Jesus, prestar cultos a Jesus ou fazer coisas aparentemente agradáveis aos olhos de Jesus. Ser discípulo de Jesus é viver sob o poder da ressurreição, até ser confundido com o próprio Jesus. Leva tempo para que isso aconteça. No início da caminhada com Jesus somos mais capazes de contar para os outros aquilo que ele fez e continua fazendo por nós. Aos poucos, começamos a fazer as mesmas coisas que ele fazia. Mais um pouco e vamos nos tornando semelhantes a ele. Até que nos confundimos com ele, e já não sabemos mais quem é quem em nós. E isso não faz a menor diferença, pois já não estamos preocupados com nada mais exceto com ser como ele é.

Com muita reverência ouso parafrasear Francisco de Assis. Sugiro que você "pregue o evangelho o tempo todo, e quando necessário use as palavras". Quando as pessoas começarem a perguntar porque vive do jeito que vive e é do jeito que é, e ficarem impressionadas com seu caráter íntegro, suas virtudes espirituais e seu estilo de vida amoroso, diga-lhes que a explicação é Jesus. Quando as pessoas perguntarem a respeito da qualidade da sua vida, então as palavras causarão impacto.

Friedrich Nietzsche, chamado "o filósofo da morte de Deus", teria dito que, "se mais remidos se parecessem os remidos, mais fácil me seria crer no Redentor".

Antes de serem atraídas por Jesus, que lhes é invisível, as pessoas são atraídas pelos talmidim de Jesus. Correm para ver Lázaro, e Lázaro lhes explica que o segredo de sua vida é o poder da ressurreição de Jesus. Lázaro reflete Jesus. Jesus se torna visível em Lázaro. O homem ressurreto é o maior argumento de Deus.

SUPERAÇÃO

> *Então lhes abriu o entendimento, para que pudessem compreender as Escrituras. E lhes disse: "Está escrito que o Cristo haveria de sofrer e ressuscitar dos mortos no terceiro dia, e que em seu nome seria pregado o arrependimento para perdão de pecados a todas as nações, começando por Jerusalém. Vocês são testemunhas destas coisas".*
> LUCAS 24.45-48

O evangelho de Jesus Cristo é o ápice de uma longa tradição histórica. Desde os dias de Abraão, o patriarca hebreu, e a saga de seus descendentes, da libertação após 430 anos de escravidão no Egito até a consolidação de uma cultura e um povo, com língua, território e organização política. Uma história que nos dias de Jesus contava com pelo menos dois mil anos de legislação religiosa, ética e social, sustentada por biografias que oferecem ainda hoje as bases fundantes do Ocidente chamado judaico-cristão. Jesus de Nazaré não caiu do céu, vindo de um vácuo de sentidos e significados.

Nos últimos dias em que estava com seus talmidim, Jesus faz questão de lembrar sua origem, as profecias que o anunciaram e todo o arcabouço lógico a seu respeito revelado gradualmente ao longo dos séculos da história de Israel. Recorre às Escrituras Sagradas do povo hebreu, para que seus talmidim atentem para o fato de que ele, Jesus, era mesmo o Messias esperado, e o Cristo de Deus. Assim como fizera com os discípulos a caminho de Emaús, agora ressurreto usa mais uma vez o testemunho de "Moisés e os profetas" para "abrir o entendimento" de seus talmidim.

Jesus afirmou aos talmidim que sua presença não foi uma novidade, mas cumpriu tudo o que "está escrito". Suas palavras, vida e obra, sua morte e ressurreição, cumpriram profecias milenares. A síntese da revelação de Deus era que "o Cristo haveria de sofrer e ressuscitar dos mortos no terceiro dia, e que em seu nome seria pregado o arrependimento para perdão de pecados a todas as nações" (Lc 24.46). A partir do Cristo, não se falaria mais de toda estrutura religiosa construída na história dos hebreus. Não se falaria mais do templo como lugar santificado, do sábado como dia santificado, dos sacerdotes como homens santificados, nem mesmo dos sacrifícios de animais como base da relação com Deus. O evangelho falaria apenas do nome de Jesus Cristo.

O evangelho de Jesus Cristo implica uma mudança radical impossível de ser assimilada sem que o próprio Jesus Cristo "abra o entendimento" das pessoas. O evangelho de Jesus Cristo é a consumação da religião de Israel. Jesus Cristo "cumpre a Lei", e isso significa que ele realiza a finalidade da Lei: revelar o pecado da raça humana e satisfazer a justiça de Deus. Em sua morte e ressurreição, Jesus

Cristo faz as duas coisas. Portanto, realiza plenamente o propósito da revelação realizada por Deus na religião de Israel e por isso mesmo a supera. O evangelho de Jesus Cristo é a superação da religião.

Há muitas maneiras de definir "religião". Em várias definições e perspectivas a experiência religiosa pode ser útil e proveitosa para a vida pessoal e a dinâmica social. Mas falo da religião nos termos do teólogo Otto Maduro, que a define como "conjunto de crenças e de práticas, a respeito de seres superiores e anteriores, com quem os fiéis desenvolvem uma relação de obrigações e benefícios".[12]

Essa definição esclarece a lógica fundamental de toda e qualquer estrutura religiosa. Há seres superiores e anteriores, isto é, deuses, anjos, espíritos e em último instância Deus, esse mesmo Deus que Jesus chama de Pai. Os seres superiores são também anteriores, existem antes de nós, nos antecedem na existência. Esses seres superiores e anteriores têm poder para nos abençoar e nos amaldiçoar. Podem tanto nos fazer o bem quanto nos fazer o mal. Por isso desenvolvemos com eles uma relação de obrigações e benefícios.

A religião é o sistema que organiza informações a respeito desses seres superiores e anteriores, e suas relações com tudo ao seu redor. A isso chamamos de crenças. Então descobrimos do que esses seres gostam e não gostam, como desejam ser tratados, o que pedem de nós, o que permitem e proíbem, e o que esperam de nós. Fazemos uma lista das nossas obrigações para com eles e tentamos observar criteriosamente suas vontades. Essas listas contêm os rituais de homenagens que lhes fazemos e as regras morais que determinam como devemos nos comportar para que eles não apenas não fiquem irados contra nós, mas principalmente para que nos abençoem. Chamamos a isso de ritos e tabus. As religiões em sua maioria absoluta se organizam através de crenças, rituais e tabus (códigos morais).

A relação que cultivamos com esses seres poderosos são de reciprocidade, méritos e deméritos, castigos e recompensas, um jogo sinistro de causa e efeito. Fazemos oferendas, desde animais, manjares e alimentos diversos, velas acesas até sacrifícios do tipo autoflagelação, subir escadas de joelhos ou doações financeiras nos templos ou em obras de caridade. Além disso, nos esforçamos para viver de uma maneira razoavelmente decente sob o critério do comportamento moral.

Considerando que não somos perfeitos e sempre cometemos um deslize aqui e ali, o que nos gera culpa e medo, a roda dos sacrifícios compensatórios está sempre girando. E considerando que estamos fazendo tudo direitinho, isto é, cumprindo bem os rituais e nos comportando como pessoas boas, ou então compensando nossos pecados e nossas faltas com oferendas sacrificiais, esperamos escapar das maldições e receber as bênçãos. O mecanismo de obrigações e benefícios nos mantém escravos de sentimentos como culpa e medo, ganância e frustração, esperança e desapontamento. Nem sempre cumprimos nossas obrigações. E os deuses quase nunca nos concedem os benefícios esperados.

O sistema religioso sustentado pelo triângulo crenças, rituais e tabus — códigos morais funcionando na lógica obrigações e benefícios — leva a maioria das pessoas a viver cativa da culpa, com um senso de dívida permanente para com os espíritos. Isso é muito lucrativo para os inescrupulosos manipuladores da fé e da esperança. Basta que convençam as pessoas de sua capacidade de também manipular os espíritos. Quando isso acontece, a religião se torna uma prisão, um beco escuro, uma sala de tortura psicoemocional, um cativeiro espiritual.

Os manipuladores transformam a religião em *business*, negócio muito lucrativo que explora a culpa, o medo e a ganância. Recebem dinheiro na forma de ofertas, e em troca prometem conter as maldições e conquistar os favores dos espíritos. A mensagem subjacente de uma lógica religiosa degenerada é a seguinte: "Se você me obedecer e me trouxer seu dinheiro para compensar suas faltas, prometo falar com deus para que ele não o castigue. E se você me der um pouquinho mais do seu dinheiro, para compensar sua falta de fé, falo com ele para que abençoe sua vida, realize seus sonhos e atenda aos seus pedidos".

O evangelho de Jesus Cristo é a superação dessa lógica religiosa.

Jesus disse que a verdade liberta. Liberta não apenas da culpa e do medo da condenação de Deus, pois em nome de Jesus oferece o perdão de Deus para o pecado e os pecados. Mas liberta também dos condicionamentos psicoemocionais, dos homens inescrupulosos, lobos em pele de ovelhas. Liberta das ideias mentirosas e dos sistemas vitimários. Liberta dos espíritos das trevas, os maiores promotores de escravidão de que se tem notícia na história do universo.

Jesus Cristo liberta. A lógica religiosa de obrigações e benefícios aprisiona. O evangelho de Jesus Cristo liberta, a manipulação religiosa escraviza.

A morte e a ressurreição de Jesus Cristo acaba com o sistema sacrificial, que se retroalimenta da culpa e do medo. O Cordeiro de Deus que tira o pecado do mundo se ofereceu de uma vez por todas, e seu sacrifício foi aceito por Deus, pois Deus o ressuscitou dos mortos para dar testemunho de que Jesus era inocente e, portanto, pode oferecer em seu nome perdão para toda a humanidade. Desde o sacrifício de Jesus e sua ressurreição nenhum outro sacrifício se justifica. Ninguém mais precisa ter medo da condenação e da maldição de Deus. Ninguém mais precisa barganhar com Deus para fazer por merecer seus favores e bênçãos.

O fim da lei é Cristo, a justiça de todo o que crê, diz o evangelho (Rm 10.4). A dívida da humanidade para com Deus está paga na cruz do Calvário. Deus nos deu vida juntamente com Cristo. Ele nos perdoou todas as transgressões, e cancelou a escrita de dívida, que consistia em ordenanças, e que nos era contrária. Ele a removeu, pregando-a na cruz, e, tendo despojado os poderes e as autoridades, fez deles um espetáculo público, triunfando sobre eles na cruz (Cl 2.13-15). Desde a cruz de Cristo e sua ressurreição, ninguém pode nos acusar diante de Deus ou cobrar nossas dívidas para com ele:

> Se Deus é por nós, quem será contra nós? [...] Quem fará alguma acusação contra os escolhidos de Deus? É Deus quem os justifica. Quem os condenará? Foi Cristo Jesus que morreu; e mais, que ressuscitou e está à direita de Deus, e também intercede por nós.
>
> Romanos 8.31,33-34

Por causa da morte e da ressurreição de Jesus Cristo não precisamos mais fazer por merecer o amor de Deus, pois:

> Aquele que não poupou seu próprio Filho, mas o entregou por todos nós, como não nos dará juntamente com ele, e de graça, todas as coisas? [...] Quem nos separará do amor de Cristo? [...] estou convencido de que nem morte nem vida, nem anjos nem demônios, nem o presente nem o futuro, nem quaisquer poderes, nem altura nem profundidade, nem qualquer outra coisa na criação será capaz de nos separar do amor de Deus que está em Cristo Jesus, nosso Senhor.
>
> Romanos 8.32,35,38-39

A palavra arrependimento vem do grego *metanoia* e significa "transformação da mente", "expansão de consciência". Quando Jesus nos "abre o entendimento", somos libertos do mecanismo religioso, do ciclo nefasto de culpa, medo e ganância. A partir de então passamos a nos relacionar com Deus fora da lógica dos méritos e deméritos. Isso é o que significa a "graça de Deus": a disposição de Deus em nos abençoar única e exclusivamente por seu amor autodeterminado por nós. A morte e a ressurreição de Jesus Cristo são a prova desse amor: "Deus demonstra seu amor por nós [desta maneira]: Cristo morreu em nosso favor quando ainda éramos pecadores" (Rm 5.8).

A canção que os jovens cristãos entoaram enquanto marchavam pelas ruas de Lisboa durante a Revolução dos Cravos pode ser o hino que embala a marcha de todos os talmidim de Jesus.

> Oh, vinde vós, os povos de todas as nações,
> erguei-vos e cantai com alegria.
> Fazei no ar soar a nova melodia
> que Jesus Cristo traz libertação.
> É tempo de romper a vil escravidão
> que em vós exercem homens ou ideias.

É tempo de dizer que só Deus pode ser:
o único Senhor da humanidade.

A verdade vos libertará,
sereis em Cristo verdadeiramente livres.
Vinde todos, sim, oh, vinde já,
e celebrai com alegria vossa libertação.

E vós, os oprimidos, e vós, os explorados,
e vós, os que viveis em agonia.
E vós, os cegos, coxos; vós, cativos, só
sabei que em breve vem um novo dia.
Um dia de justiça, um dia de verdade,
um dia em que haverá na terra paz.
Em que será vencida a morte pela vida
e a escravidão enfim acabará.[13]

SUPERAÇÃO 2

*Eu sou a videira; vocês são os ramos. Se alguém permanecer em mim e eu nele,
esse dará muito fruto; pois sem mim vocês não podem fazer coisa alguma.*
João 15.5

O Evangelho é a superação da religião. Primeiro, porque é a superação da lógica sacrificial. A morte de Jesus Cristo na cruz torna injustificáveis quaisquer sacrifícios feitos para escapar das maldições ou conquistar os favores de Deus. E também, e principalmente, não se justifica qualquer sacrifício humano feito a Deus. Matar em nome de Deus é uma traição ao evangelho de Jesus Cristo.

O Evangelho é a superação da religião também em sua dimensão estrutural. Praticamente toda estrutura religiosa está baseada em três pilares: dogma, rito e tabu. Os dogmas são as doutrinas intocáveis. São as verdades proposicionais, aquilo que uma religião afirma ser verdadeiro.

Também chamamos os dogmas de crenças. Por exemplo, a questão da vida após a morte. Qual é a verdade: a ressurreição ou a reencarnação? Ao final da vida física, voltamos a este mundo numa sucessão de existências que visam ao nosso aperfeiçoamento até migrarmos para outros mundos habitados ou somos destinados ao céu ou ao inferno, à comunhão ou à separação do ser divino? O que se entende por céu e inferno? Quais são os critérios de julgamento, e quem promove o julgamento dos seres espirituais na eternidade? Outro exemplo de crença pode ser aplicado ao próprio conceito de divindade, que separa as religiões entre monoteístas e politeístas.

Os rituais são o segundo pilar da estrutura religiosa. Através deles os deuses são homenageados. Cada religião tem sua maneira de prestar cultos e reverenciar suas divindades. Algumas são extravagantes e alegres, e seus adeptos usam roupas coloridas, pintam o corpo e cantam e dançam em volta de fogueiras. Outras são intimistas e sua liturgia bem ordenada inspira a contemplação e a introspecção. Os rituais religiosos podem ser praticados nas florestas, nos mares e nas esquinas, e também em templos suntuosos e catedrais. Os dias sagrados para os rituais podem ser o domingo, o sábado ou espalhados em períodos mais longos, como as festas anuais, ou podem ser uma peregrinação feita pelo menos uma vez na vida.

Além dos dogmas e rituais, a estrutura religiosa exige os tabus, isto é, os códigos morais que refletem a ética dos deuses. As regras que regulam os comportamentos aceitos e estimulados, e os que devem ser evitados e proibidos. Os valores éticos são razoavelmente comuns às grandes tradições religiosas. As maiores divergências em cada religião ou tradição estão relacionadas às penalidades e aos critérios de julgamento dos infratores.

O cristianismo, como religião organizada nos termos e nas categorias das ciências da religião, também tem seus dogmas, rituais e tabus. Mas o evangelho de Jesus Cristo não se encaixa nesses critérios. Os talmidim não são identificados por adesão a crenças, práticas ritualísticas e nem mesmo a comportamentos socialmente aceitos. Jesus Cristo deixou claro que "nem todo aquele que me diz: 'Senhor, Senhor', entrará no Reino dos céus" (Mt 7.21). Jesus não se deixava impressionar pelos religiosos que faziam orações em público, propaganda de suas esmolas e atos de ajuda ao próximo, e tornavam públicos seus jejuns (Mt 6.1-18).

As maiores críticas de Jesus foram aos religiosos mais radicais de seu tempo: os fariseus e os doutores da Lei. Ele os chamou de "sepulcros caiados", "raça de víboras" e "hipócritas". Disse que eram "guias cegos", que "coavam mosquitos e engoliam camelos", sendo exigentes em questões de pequena importância mas fazendo vista grossa à negligência na prática da misericórdia, da justiça e da solidariedade (Mt 23).

O evangelho de Jesus Cristo compreende a verdade como sendo uma pessoa, e não um conjunto de crenças ou dogmas. A verdade que liberta não é a doutrina correta, mas a própria pessoa de Jesus Cristo, sendo ele mesmo "caminho, verdade e vida" (Jo 8.32,36; 14.6). A ortodoxia, a doutrina correta, a verdade conforme a cultura ocidental filha do cartesianismo iluminista a define está longe de ser o critério da intimidade com o Deus a quem Jesus chamava de Pai. Os homens que por zelo das doutrinas matam em nome da verdade estão absolutamente distantes do caminho do Cristo caracterizado pela compaixão, pela misericórdia e pelo perdão.

No evangelho de Jesus Cristo, a verdade proposicional, o dogma, vale menos que o amor. O evangelho de Jesus Cristo revela o Deus que deseja ser adorado em "espírito e em verdade", não importa o dia, o lugar, nem o ritual (Jo 4.23-24). É possível adorar a Deus em silêncio e blasfemar contra Deus cantando músicas em seu louvor.

Jesus vivia rodeado de pecadores, mas era evitado pelos que se consideravam justos aos seus próprios olhos (Lc 18.1-9). "Os publicanos [homens corruptos que faziam o trabalho sujo de cobrar de seus patrícios impostos em favor de Roma] e as prostitutas estão entrando antes de vocês no Reino de Deus" é uma das afirmações mais escandalosas de Jesus (Mt 21.31). Ele não disse ex--corruptos e ex-prostitutas. Lá se vão mais de dois mil anos e a declaração ainda é absolutamente difícil de engolir para os que, ainda hoje, se consideram justos aos próprios olhos.

É evidente que os talmidim de Jesus têm crenças, rituais e tabus. O relacionamento com Jesus, como qualquer outro relacionamento, se sustenta em convicções mínimas e mútuas a respeito das pessoas que se relacionam entre si. Em todo relacionamento existem critérios éticos que garantem a legitimidade e a longevidade da relação. Assim como pequenos rituais e rotinas que fazem dos afetos algo mais do que boas intenções ou saiam do campo das subjetividades e se transformem em abraços. Mas ninguém pode usar o critério dogma-rituais-tabus como régua para identificar quem é e quem não é talmidim de Jesus. Jesus deu boas-vindas às prostitutas, abraçou os leprosos, jantou na casa de homens corruptos e fez amigos entre pessoas de reputação muito duvidosa.

O Evangelho supera as estruturas religiosas porque é um relacionamento com Jesus Cristo. Ele é a videira, nós somos os ramos. Enquanto estamos unidos e ligados a ele, temos vida. Independentemente e além e aquém do que cremos, dos rituais que praticamos e dos códigos morais a que obedecemos, o relacionamento com Jesus Cristo é a essência do evangelho.

O evangelho é Jesus.

Dogma, ritual e tabu são religião.

Decisão

Se alguém quiser acompanhar-me, negue-se a si mesmo, tome a sua cruz e siga-me.
Mateus 16.24

O senso comum interpreta o sentido de "seguir a Jesus" como imitar seu estilo de vida, obedecer a seus mandamentos, praticar seus ensinamentos, observar os princípios éticos de sua mensagem. Seguir a Jesus, a maioria das pessoas pensa, é seguir seu exemplo.

De acordo com essa lógica de interpretação, seguir a Jesus seria fazer coisas como oferecer a outra face ao agressor, perdoar aqueles que nos fizeram mal, não vingar uma ofensa, falar a verdade, não matar, não roubar, praticar a solidariedade, tratar todas as pessoas com igualdade e andar no caminho do amor.

Mas parece que Jesus estava querendo dizer outra coisa. Seu convite indireto aos que desejam segui-lo é para a morte. Esse é o significado de "tomar a sua cruz". O que ele está dizendo de fato é que aqueles que desejam andar com ele devem estar dispostos a morrer: "Se você quiser andar comigo, também precisa ser crucificado. Precisa deixar-se crucificar, isto é, voluntariamente abrir mão da sua vida para que seja crucificado". Quem deseja seguir os passos de Jesus deve tomar a sua cruz e participar da sua morte, e antes precisa negar-se. Em outras palavras, imitar a Jesus é dizer *não* a si mesmo.

Isso está absolutamente óbvio nas páginas da Bíblia. Jesus é o último Adão e o segundo homem. Essas duas figuras são dois paradigmas do que significa ser humano. Adão é o homem que diz *sim* para si mesmo e *não* para Deus. Jesus é o homem que diz *não* para si mesmo e *sim* para Deus. Se você quiser seguir o caminho de Jesus, então diga *não* para si mesmo e *sim* para Deus.

Por trás do discipulado de Jesus existe a pergunta "seguir para onde?". Para onde vai aquele que quer seguir a Jesus? Vai atravessar a morte e sair vivo do outro lado.

Jesus não está convidando aqueles homens apenas para que andem com ele pelas aldeias e cidades da Palestina, ou simplesmente imitar o seu procedimento e seu estilo de vida. O convite de Jesus é para que mergulhem com ele na morte, atravessem a escuridão e levantem ressurretos do outro lado. Ele está dizendo que aqueles que desejam a vida eterna devem morrer e deixar que ele os leve até a ressurreição.

Negar a si mesmo, morrer para si mesmo, dizer *não* para si mesmo são expressões sinônimas. Negar a si mesmo é entregar de volta a Deus o maior dom que ele nos concedeu: a nossa liberdade.

Quando nos criou à sua imagem e semelhança, Deus nos faz seres com arbítrio, capacidade e prerrogativa de fazer escolhas. Podemos usar o arbítrio inclusive para dizer-lhe *não*. Podemos usar nossa liberdade contra Deus. Foi o que o primeiro casal no jardim do Éden fez. Mas também podemos usar nossa liberdade para dizer *sim* para Deus. Foi o que Jesus fez. Ele abriu mão de sua vontade para submeter-se à vontade de Deus. Foi assim que ele nos ensinou a orar: "Pai nosso, que estás no céu! Santificado seja o teu nome. Venha o teu Reino; seja feita a tua vontade, assim na terra como no céu" (Mt 6.9-10). Ou seja, "Pai nosso, venha reinar sobre nós, venha assumir o controle para que a tua vontade seja feita na terra como no céu".

Todos nós carregamos esse Adão e Eva entranhados no coração. Somos viciados em nós mesmos. Odiamos ser contrariados. Não admitimos que nossos desejos, sonhos e caprichos sejam frustrados. Ficamos revoltados quando o mundo não acontece como gostaríamos que acontecesse, quando as coisas não se encadeiam como gostaríamos que se encadeassem e quando as circunstâncias da vida não nos favorecem como gostaríamos que nos favorecessem. Consideramos inadmissível que as pessoas não concordem com nossas ideias, que não se sujeitem a nossas vontades e que vivam independentes de nós. Queremos o mundo e as pessoas girando ao nosso redor.

O caminho de Jesus segue na direção contrária. Jesus é aquele que abre mão da própria vontade, considera os outros superiores a si mesmo, serve em vez de ser servido, lava os pés dos outros em vez de ter os pés lavados, é obediente até a morte, e morte de cruz (Fp 2.5-8).

A vontade particular e pessoal, egocêntrica e egoísta, não cabe naquele que segue o caminho de Jesus. Dizer *não* para si mesmo e *sim* para Deus implica abraçar tudo e todos, e se misturar no eterno abraço de Deus, na eterna *pericorese*, a dança do amor divino. Nesse momento, não estamos mais no reino do ego, estamos no reino de Deus. Passamos da morte para a vida.

O reino do ego é o império dos conflitos e das guerras, da luta sem tréguas contra tudo o que não concorre para a nossa vontade. A guerra dos egos produz morte. O reino de Deus é o ambiente da reconciliação e da paz, onde todos buscamos o bem comum, e não apenas a satisfação dos interesses particulares. A submissão à vontade de Deus produz vida.

Jesus está dizendo: Você quer vida? Saia do reino do ego e venha comigo para o reino de Deus. Mas, se você quiser morte, então fique no reino do ego, pensando que está vivo. Mas no final dos seus dias você encontrará a morte. Aquele que quiser salvar a sua vida e ficar no reino do ego acabará perdendo a vida, porque encontrará a morte. "Pois quem quiser salvar a sua vida, a perderá, mas quem perder a vida por minha causa, a encontrará" (Mt 16.25). Aquele que perder a vida por amor de mim, isto é, negar a si mesmo, e me seguir até o reino de Deus encontrará a vida. O reino do ego é o reino da morte. O reino de Deus é o reino da vida.

Jesus nos convida a morrer com ele, nos chama a deixar o reino do ego. E promete que ressuscitaremos com ele no reino de Deus. Quem quiser que dê o salto da fé e mergulhe na morte. É hora de decisão.

CÉU

49 Talmidim52

Porque Deus amou o mundo de tal maneira que deu o seu Filho unigênito, para que todo aquele que nele crê não pereça, mas tenha a vida eterna.
João 3.16, RC

A maneira mais resumida e simples como o evangelho de Jesus Cristo é anunciado segue a ordem lógica criação-queda-redenção. Deus criou o homem num ato de amor. O homem lhe deu as costas e se tornou pecador sob a ira de Deus, e foi condenado ao inferno. Jesus Cristo veio ao mundo em nome do amor de Deus, morreu na cruz, ressuscitou e venceu a morte. Aquele que aceitar Jesus como seu Salvador, após a morte voltará para Deus e viverá eternamente no céu. Aquele que não aceitar Jesus como seu Salvador, após a morte irá para o inferno, onde viverá em agonia, longe de Deus, numa existência de escuridão e sofrimento, para todo o sempre.

Ser cristão é, portanto, aceitar a Jesus como Salvador, para receber pela graça de Deus a promessa de ir para o céu, e não para o inferno. Tudo se resume em ir para o inferno ou ir para o céu. Essa é a maneira simplória como o evangelho de Jesus pode ser anunciado.

Quem estuda a Bíblia Sagrada, especialmente o Novo Testamento, percebe que Jesus fala muito pouco de céu e inferno. Jesus fala muito a respeito do reino dos céus. Todos os intérpretes bíblicos são concordes e praticamente unânimes em afirmar que "reino dos céus" é uma expressão sinônima de "reino de Deus". Jesus não fala do céu como um lugar geográfico para onde se vai após a morte física. Jesus fala do reino de Deus como uma realidade que está inaugurada já na história. Jesus anuncia o reino de Deus como uma experiência possível aqui e agora, e não apenas após a morte física.

A ênfase de Jesus nunca foi "aceitem-me como seu Salvador para que eu os leve para o céu após a morte". Jesus ordenou aos seus talmidim que buscassem "em primeiro lugar o reino de Deus e a sua justiça" (Mt 6.33). A mensagem de Jesus foi a respeito do reino de Deus. "Depois que João foi preso, Jesus foi para a Galileia, proclamando as boas-novas de Deus. 'O tempo é chegado', dizia ele. 'O Reino de Deus está próximo. Arrependam-se e creiam nas boas-novas!'" (Mc 1.14-15).

"Venham viver no reino de Deus. Venham viver debaixo do reinado de Deus. Venham colocar a vida em alinhamento com a vontade de Deus", dizia Jesus por onde passava.

A "religião de Jesus" é a experiência histórica, possível aqui e agora, do reinado de Deus. Os talmidim de Jesus são aqueles que se submetem desde agora à experiência histórica do reino de Deus. Jesus convida a todos para que participem do reino de Deus: "Arrependam-se. Mudem sua maneira de pensar. Deixem que Deus amplie e expanda sua consciência. Deixem que a sua visão da realidade seja transformada. Venham viver no Reino de Deus".

O dilema humano não consiste nas opções céu ou inferno. O dilema humano é sua finitude. O primeiro homem, Adão, ao dizer *não* para Deus, salta para a não-existência. O problema do ser humano é a morte. Vencer a morte, eis a questão. A resposta de Jesus para a finitude humana não é apenas o céu após a morte. É o reino de Deus inaugurado na história como porta de entrada para a vida eterna.

A vida eterna não é a mesma coisa que vida sem fim depois da morte. A eternidade está fora das categorias de medida. Começo, meio e fim se aplicam ao tempo e, nesse caso, existe o que é finito e o que é infinito. Deus é eterno e não tem começo nem fim. A vida que Deus oferece para "todo aquele que crê" não é vida infinita é vida eterna. A vida eterna não tem nada a ver com temporalidade, extensão, como, por exemplo, viver para sempre. A vida eterna não é questão de quantidade, mas de qualidade. A qualidade de vida que é própria de Deus.

> Nem toda carne é a mesma: os homens têm uma espécie de carne, os animais têm outra, as aves outra, e os peixes outra. Há corpos celestes e há também corpos terrestres; mas o esplendor dos corpos celestes é um, e o dos corpos terrestres é outro. [...] Assim será com a ressurreição dos mortos. O corpo que é semeado é perecível e ressuscita imperecível; é semeado em desonra e ressuscita em glória; é semeado em fraqueza e ressuscita em poder; é semeado um corpo natural e ressuscita um corpo espiritual. Se há corpo natural, há também corpo espiritual.
>
> 1Coríntios 15.39-40,42-44

Uma é a vida dos animais, outra a dos vegetais e outra, ainda, a dos seres humanos. Todas, porém, são finitas. Mas a vida de Deus é eterna. A vida eterna divina é a que Jesus compartilha com o ser humano. A vida corpórea humana acaba na morte. Mas existe uma vida que transcende o túmulo e se estende para além da morte física. Não porque dura mais, mas porque é de outra qualidade.

> "O primeiro homem, Adão, tornou-se um ser vivente"; o último Adão, espírito vivificante. Não foi o espiritual que veio antes, mas o natural; depois dele, o espiritual. O primeiro homem era do pó da terra; o segundo homem, dos céus. Os que são da terra são semelhantes ao homem terreno; os que são dos céus, ao homem celestial. Assim como tivemos a imagem do homem terreno, teremos também a imagem do homem celestial. Irmãos, eu lhes declaro que carne e sangue não podem herdar o Reino de Deus, nem o que é perecível pode herdar o imperecível.

Eis que eu lhes digo um mistério: Nem todos dormiremos, mas todos seremos transformados, num momento, num abrir e fechar de olhos, ao som da última trombeta. Pois a trombeta soará, os mortos ressuscitarão incorruptíveis e nós seremos transformados. Pois é necessário que aquilo que é corruptível se revista de incorruptibilidade, e aquilo que é mortal se revista de imortalidade. Quando, porém, o que é corruptível se revestir de incorruptibilidade, e o que é mortal, de imortalidade, então se cumprirá a palavra que está escrita: "A morte foi destruída pela vitória".

1Coríntios 15.45-54

Os talmidim de Jesus não são mobilizados por uma vida que dura mais. Seu maior desejo é experimentar a qualidade da vida de Deus, a vida eterna, que Jesus oferece desde aqui e agora para todo aquele que crê.

Confio que Deus me amou de tal maneira que deu seu Filho para trazer ao mundo a vida eterna. Confio que Jesus me concede a vida eterna. Por essa razão, já não me preocupo com o fim da minha vida, a minha morte. Vivo confiando que Jesus vive em mim e, portanto, a morte também não poderá me reter em suas garras. O poder da ressurreição de Jesus me garante a vida eterna. E essa vida já começou a atuar em mim. Aqui e agora.

Vivo na esperança de experimentar isso que chamamos céu após a minha morte física. Mas meu maior desejo é experimentar densidades cada vez mais profundas da vida eterna que está disponível aqui e agora para todos os talmidim de Jesus Cristo.

Sei que não vou desfrutar da vida eterna em plenitude enquanto meu corpo ainda é mortal e corruptível. A plenitude da vida eterna é possível após a ressurreição. Antes da ressurreição, "sabemos que toda a natureza criada geme até agora, como em dores de parto. E não só isso, mas nós mesmos, que temos os primeiros frutos do Espírito, gememos interiormente, esperando ansiosamente nossa adoção como filhos, a redenção do nosso corpo" (Rm 8.22-23). Mas sabemos também que "temos os primeiros frutos do Espírito", que já atua em nós e nos permite experimentar dimensões da vida divina, a vida eterna, já aqui e agora

Henri Nouwen, padre católico, teólogo e orientador espiritual, expressou o coração dos talmidim de Jesus a respeito da vida eterna:

Durante a maior parte dos meus anos, falei de vida eterna como pós-vida, como vida depois da morte. Mas, à medida que vou ficando mais velho, menos interesse tenho pelo pós-vida. Preocupar-me com o amanhã, com o próximo ano, com a próxima década, e também com a próxima vida, parece-me uma falsa preocupação. Cismar como tudo será para mim depois de morrer parece-me, em grande parte, uma distração. Se a minha meta é a vida eterna, então essa vida deve ser atingível já agora, onde eu estou, porque a vida eterna é a vida em e com Deus, e Deus está onde eu estou, aqui e agora. O grande mistério da vida espiritual — a vida em Deus — é que não temos de esperar por ela como algo que acontecerá depois. Jesus disse: "Estai em mim como eu estou em vós". É este divino "estar em" que é a vida eterna. É a presença ativa de Deus no centro do meu viver — o movimento do Espírito de Deus dentro de nós — que nos dá a vida eterna.[14]

Jesus Cristo faz mais do que nos levar para o céu após a nossa morte. Jesus Cristo nos faz "participantes da natureza divina" (2Pe 1.4). Ele nos dá a vida eterna. Isto é amor: doar e compartilhar a própria vida. Por isso, "Deus amou o mundo de tal maneira que deu o seu Filho unigênito, para que todo o que nele crê não pereça, mas tenha a vida eterna" (Jo 3.16, RA).

Discípulos

50 Talmidim 52

> *Foi-me dada toda a autoridade nos céus e na terra. Portanto, vão e façam discípulos de todas as nações, batizando-os em nome do Pai e do Filho e do Espírito Santo, ensinando-os a obedecer a tudo o que eu lhes ordenei. E eu estarei sempre com vocês, até o fim dos tempos.*
> Mateus 28.18-20

Conta-se que Augusto Comte teria dito ao escritor escocês Thomas Carlyle a respeito do positivismo, filosofia da qual era o precursor: "Descobri algo que vai mudar a história da humanidade e transformar a consciência do ser humano". Ao que Carlyle teria respondido: "Para transformar a história e o ser humano, você precisa nascer como nenhum outro ser humano nasceu, viver como nenhum outro ser humano viveu, morrer como nenhum outro ser humano morreu e ressuscitar ao terceiro dia".

Jesus de Nazaré é o único ser humano que atende a esses requisitos bem expressos por Carlyle. Nasceu, viveu e morreu de maneira singular, e foi o único a ressuscitar e vencer a morte.

Por isso, ao encontrar seus talmidim após a ressurreição, Jesus afirma ter recebido de Deus Pai "toda autoridade, nos céus e na terra". A palavra autoridade, do grego *exousia*, tem pelo menos três significados: direito, legitimidade e capacidade. Jesus afirma ter direito de exercer domínio sobre todo o universo, porque Deus Pai, Criador de todas as coisas, lhe deu esse direito. Nas palavras de Paulo, apóstolo:

> Esse poder ele [Deus] exerceu em Cristo, ressuscitando-o dos mortos e fazendo-o assentar-se à sua direita, nas regiões celestiais, muito acima de todo governo e autoridade, poder e domínio, e de todo nome que se possa mencionar, não apenas nesta era, mas também na que há de vir. Deus colocou todas as coisas debaixo de seus pés e o designou como cabeça de todas as coisas para a igreja, que é o seu corpo, a plenitude daquele que enche todas as coisas, em toda e qualquer circunstância.
> Efésios 1.20-23

Esse ato divino confere a Jesus legitimidade, isto é, Jesus não é um usurpador, como Satanás ou Adão, que pretenderam autonomia em relação a Deus. A autoridade que Jesus detém nas mãos lhe foi outorgada por Deus Pai. Em sua ressurreição, Jesus manifesta que o poder que atua sobre ele é eficaz e eficiente, e, portanto, o capacita a cumprir a tarefa que recebeu do Pai.

Jesus é autoridade máxima sobre tudo e todos, desde antes e agora, e para todo o sempre. Reivindica para si a centralidade da história, o domínio sobre todo o universo criado e a adoração de toda a criação, principalmente de toda a humanidade. Jesus Cristo foi morto "e com teu sangue compraste para Deus gente de toda tribo, língua, povo e nação". Porque vive pelos séculos dos séculos "é digno de receber poder, riqueza, sabedoria, força, honra, glória e louvor!". Por isso "todas as criaturas existentes no céu, na terra, debaixo da terra e no mar, e tudo o que neles há, dizem: 'Àquele que está assentado no trono e ao Cordeiro sejam o louvor, a honra, a glória e o poder, para todo o sempre!'" (Ap 5.9,12-13).

Todos os mestres e guias espirituais disseram: "Eu lhes mostro a verdade! Eu lhes aponto o caminho da iluminação! Eu lhes mostro onde encontrar a vida". Jesus Cristo foi o único a apontar para si mesmo, afirmando: "Eu sou o caminho. Eu sou a verdade. Eu sou a vida. Eu sou a luz do mundo. Eu sou a ressurreição. Eu sou". Jesus é o único que legitimamente reivindica a prerrogativa exclusiva de assumir absoluta autoridade sobre todo o universo criado, de nos revelar e conduzir a Deus Pai e nos incluir na comunhão eterna da Trindade Santa.

Esse é o fundamento da fé dos talmidim de Jesus Cristo. Os seguidores de Jesus vivem debaixo de sua autoridade, obedecem a sua vontade e o adoram como Deus. Jesus Cristo é Senhor. Ele tem legítimo direito de exercer domínio sobre a vida dos seus talmidim.

Os talmidim de Jesus ouvem sua voz e o seguem (Jo 10.27). Todas as outras vozes estão sujeitas à autoridade de Jesus. Todas as vontades estão sujeitas à autoridade de Jesus. Todas as verdades estão sujeitas à autoridade de Jesus.

Os talmidim devem multiplicar talmidim. Todos que se submetem à sua autoridade devem "fazer discípulos" de Jesus. Toda autoridade me foi dada, portanto, façam discípulos, façam talmidim para mim".

O *how to* do "fazer discípulos" está embutido na ordem de Jesus aos seus primeiros discípulos. Quem deseja saber "como fazer discípulos" deve prestar atenção às palavras de Jesus. O método do discipulado de Jesus é simples, mas nada fácil. Consta de duas tarefas complementares: ensinar a obedecer a tudo quanto ele ordenou e batizar os novos discípulos em nome do Pai, do Filho e do Espírito Santo.

Fazer discípulos é diferente de "ensinar as coisas que Jesus ordenou". É mais do que ensinar o que Jesus ensinou, divulgar a mensagem ou a filosofia de vida de Jesus. Fazer discípulos implica ensinar as pessoas a *fazerem* o que Jesus mandou que elas fizessem. Ensinar a viver como Jesus mandou que elas vivessem. Ensinar a obedecer a Jesus, e não apenas transferir seus ensinamentos.

Uma coisa é ensinar que Jesus nos mandou perdoar. Outra coisa é ensinar a perdoar. É mais fácil ensinar o que alguém deve ser do que ensinar esse alguém a ser o que deve e pode ser.

Fazer discípulo é ensinar a pessoa a ser generosa.

Fazer discípulo é ensinar a pessoa a ser solidária.

Fazer discípulo é ensinar a pessoa a ser comprometida com a justiça.

Fazer discípulo é ensinar a pessoa a controlar seu ímpeto, sua ira, sua raiva. Superar o seu desejo de vingança.

Para ensinar as coisas que Jesus ensinou e ordenou bastam sermões e palestras, congressos, conferências, seminários e *workshops*, livros e vídeos. Para ensinar a obedecer ao que Jesus ordenou, entretanto, é preciso um relacionamento de crescente intimidade, confiança e transparência. Para ensinar a fazer o que Jesus deseja que seja feito é necessário demonstrar com a própria vida. Discípulo de Jesus não é aquele que tem informações certas a respeito de Jesus, mas aquele que vive como Jesus ensinou e ordenou. Fazer discípulos é mais do que transmitir informações. É modelar com a própria vida como Jesus viveu e deseja que todas as pessoas vivam.

O discipulado de Jesus acontece na dinâmica dos relacionamentos, e não das salas de aula. Na caminhada de comunhão, na rede de amizades espirituais, e não no estudo das apostilas e nos cursos de sete semanas ou doze passos.

O Novo Testamento diz que Jesus "escolheu doze homens [...] para que estivessem com ele" (Mc 3.14). Jesus não mandou que seus talmidim se matriculassem num curso de teologia ou fizessem uma seminário de fim de semana. Jesus os chamou para uma caminhada de intimidade. Paulo, apóstolo, fez exatamente como Jesus ensinou. Timóteo, seu filho na fé, observava de perto, como quem usa uma lupa, não apenas o comportamento, mas também o próprio coração de seu mestre.

O apóstolo Paulo diz a respeito de Timóteo: "Você tem seguido de perto o meu ensino, a minha conduta, o meu propósito, a minha fé, a minha paciência, o meu amor, a minha perseverança, as perseguições e os sofrimentos que enfrentei. [...] Quanta perseguição suportei! Mas, de todas essas coisas o Senhor me livrou!" (2Tm 3.10-11).

O discípulo é testemunha do poder e da autoridade de Deus atuando na vida de seu mestre.

Você crê que Jesus é Senhor de todo o universo? Você crê que não existe nome que possa ser pronunciado acima do nome de Jesus? Crê que Jesus detém nas mãos a autoridade sobre tudo e todos? Você realmente crê que Jesus é o Senhor da sua vida?

Encorajo você a invocar o Senhor Jesus e se submeter à autoridade dele. Quando nos submetemos à autoridade de Jesus, encontramos a liberdade. Jesus não escraviza ninguém. Somente Jesus exerce poder e autoridade de maneira legítima, libertadora e redentora. Jesus não é usurpador. Quando reivindica autoridade sobre a minha e a sua vida, o faz legitimado por Deus, nosso Pai

Celestial. Jesus não é um tirano abusador, manipulador e castrador. Ele é aquele único a respeitar nossa dignidade como seres criados à imagem e semelhança de Deus. Ele é o único Deus que nos reconhece como irmãos. Ele é o primeiro dentre todos nós, filhos de Deus, o primeiro entre muitos irmãos (Rm 8.28-30). Não nos considera escravos, mas amigos. Não deseja nossa lealdade cega, ignorante, infantil, mas compartilha conosco toda a verdade e vontade que recebeu de Deus Pai.

> O meu mandamento é este: Amem-se uns aos outros como eu os amei. Ninguém tem maior amor do que aquele que dá a sua vida pelos seus amigos. Vocês serão meus amigos, se fizerem o que eu lhes ordeno. Já não os chamo servos, porque o servo não sabe o que o seu senhor faz. Em vez disso, eu os tenho chamado amigos, porque tudo o que ouvi de meu Pai eu lhes tornei conhecido.
>
> João 15.12-15

Qualquer autoridade estranha e distinta da autoridade de Jesus que domine você vai destruir sua vida. A única autoridade que liberta você é a autoridade de Jesus Cristo. Jesus disse que o ladrão (autoridade estranha e distinta) mata, rouba e destrói; apenas ele concede vida plena (Jo 10.10).

Invoque a autoridade de Jesus Cristo na sua vida. Diga-lhe: Senhor Jesus, quero ser seu seguidor. Quero ser sua seguidora. Reconheço seu poder, sua autoridade e seu direito de ser o Senhor da minha vida. A partir de hoje quero ouvir e seguir apenas a tua voz. Quero me submeter somente à tua vontade. Quero experimentar a libertação de todos os cativeiros e usurpadores que me aprisionam e me impedem de ser o que Deus me criou para ser. Quero andar no caminho da tua verdade e desfrutar da vida abundante que somente o Senhor me pode conceder. Quero participar da comunhão eterna de Deus Pai, Deus Filho e Deus Espírito Santo.

Caso já tenha feito isso, encorajo você a procurar um cristão, um grupo de cristãos ou uma comunidade cristã, e pedir que eles batizem você em nome do Pai, do Filho e do Espírito Santo. Jesus disse que todos os seus discípulos deveriam ser batizados em nome do Pai, do Filho e do Espírito Santo. O batismo nas águas é um ato simbólico que testemunha publicamente nossa participação na comunhão da Trindade Santa. A imersão nas águas é uma dramatização em que o discípulo de Jesus testemunha que morreu e foi sepultado com Cristo. Ao ser erguido das águas, o discípulo de Jesus testemunha que foi ressuscitado junto com Cristo para participar de sua vida eterna e viver desde agora essa nova vida.

Assim o apóstolo resume a experiência mística do batismo:

> Vocês não sabem que todos nós, que fomos batizados em Cristo Jesus, fomos batizados em sua morte? Portanto, fomos sepultados com ele na morte por meio do

batismo, a fim de que, assim como Cristo foi ressuscitado dos mortos mediante a glória do Pai, também nós vivamos uma vida nova. Se dessa forma fomos unidos a ele na semelhança da sua morte, certamente o seremos também na semelhança da sua ressurreição. Pois sabemos que o nosso velho homem foi crucificado com ele, para que o corpo do pecado seja destruído, e não mais sejamos escravos do pecado; pois quem morreu, foi justificado do pecado.

Ora, se morremos com Cristo, cremos que também com ele viveremos. Pois sabemos que, tendo sido ressuscitado dos mortos, Cristo não pode morrer outra vez: a morte não tem mais domínio sobre ele. Porque morrendo, ele morreu para o pecado uma vez por todas; mas vivendo, vive para Deus. Da mesma forma, considerem-se mortos para o pecado, mas vivos para Deus em Cristo Jesus.

Romanos 6.3-11

Encorajo você a materializar, no ato simbólico do batismo, a sua experiência espiritual. Você que é um discípulo de Jesus, uma discípula de Jesus, comece obedecendo à primeira ordem que ele deu aos seus discípulos.

Encorajo você a conviver com um grupo de cristãos, encontrar pessoas que seguem a Jesus com seriedade, integridade, autenticidade e simplicidade, e conviver com elas. É entre os seguidores de Jesus que você aprende a seguir a Jesus. Convivendo com pessoas que vivem como Jesus ensinou e ordenou, você aprende a desenvolver a vida que Jesus quer que você viva.

Os discípulos de Jesus que vivem juntos e acolhem os novos discípulos que vão chegando são identificados na Bíblia Sagrada pelo nome de "Igreja". A Igreja não é um templo. A Igreja não é uma instituição religiosa. A Igreja é uma comunidade de cristãos, a comunhão de todos os que desejam seguir a Jesus e fazer sua vontade. A Igreja é a rede de relacionamentos formada por todos aqueles que se submeteram a Jesus como Senhor de sua vida.

A Igreja é composta por pessoas que desceram às águas do batismo testemunhando: "Eu morri. Fui sepultado. Ressuscitei para a nova vida. Naquela antiga vida, eu estava no reino do ego, e eu obedecia apenas a mim mesmo. Aquela pessoa morreu. Não existe mais. Agora sou uma nova pessoa. Invoquei a Jesus como meu Senhor, e agora eu vivo no reino de Deus, fazendo a vontade de Deus, como Jesus me ensinou".

Nessa confissão reside nossa esperança de vitória sobre a morte. Jesus prometeu: "Eu estarei sempre com vocês, até o fim dos tempos" (Mt 28.20). Desfrutar dessa companhia do Cristo vivo e ressurreto é a experiência do discipulado. É a experiência do talmid, é a experiência da comunidade dos talmidim. Andar com Jesus na história é chegar ao fim dos tempos para uma vida que transcende o tempo, experimentar desde aqui e agora a vida.

Os talmidim de Jesus ambicionam ser iguais a Jesus. Ser cristão, literalmente, como significa a palavra, é "ser um pequeno Cristo".

Invoque o nome de Jesus e se submeta a sua autoridade. Receba o batismo em nome do Pai, do Filho e do Espírito Santo. Conviva com uma comunidade de cristãos. Ensinando as pessoas a obedecerem a tudo que Jesus ordenou. Andando com Jesus, que está presente entre os seus talmidim. Até o fim dos tempos. Isso é o mínimo do que significa ser discípulo de Jesus Cristo.

INDUBITÁVEL

> *Está escrito que o Cristo haveria de sofrer e ressuscitar dos mortos no terceiro dia, e que em seu nome seria pregado o arrependimento para perdão de pecados a todas as nações, começando por Jerusalém.*
> LUCAS 24.46-47

O conceito mais popular que temos de justiça tem origem na lógica retributiva. O profeta hebreu recomendou: "Digam aos justos que tudo lhes irá bem. [...] Mas, ai dos ímpios! Tudo lhes irá mal!" (Is 3.10-11). A ideia de que o bem que fazemos deve ser recompensado e o mal que praticamos deve ser igualmente punido sustenta também as noções de céu e inferno. O senso comum considera inadmissível que as pessoas más não sejam castigadas pelo mal que cometeram ou causaram, e de igual modo esperam que os bons recebam as recompensas do bem que fizeram. A vantagem em ser bom e a desvantagem em ser mal sustenta a lógica da justiça retributiva. Por que agir corretamente quando não há garantia de que o resultado será compensador? Por que deixar de fazer coisas erradas onde a impunidade é a regra?

As noções de céu e inferno se encaixam perfeitamente nessa lógica de justiça retributiva. O céu é a recompensa dos bons. O inferno é o castigo dos maus. A ameaça de sofrer a danação eterna serve como freio para a maldade. A promessa do céu estimula a vida correta e íntegra. Ameaças e promessas são mecanismos de controle para o comportamento humano.

A existência do inferno é um grande argumento religioso que pode ser utilizado para aprisionar pessoas, que passam a viver com medo de Deus. A promessa do céu, por sua vez, mobiliza bem menos do que a ameaça do inferno. As pessoas correm aos templos muito mais para fugir de uma eventual maldição ou castigo do que para cultivar com Deus uma relação de amor.

As consciências mais sensíveis, entretanto, consideram incompatíveis a afirmação de que Deus é amor com a existência do inferno. Como pode o Deus revelado por Jesus Cristo condenar pessoas ao castigo eterno? Não parece razoável que um Pai amoroso permita, ou pior, condene seus filhos ao sofrimento sem fim. A carmelita francesa Teresa de Lisieux disse: "Eu acredito no inferno, mas creio que está vazio".

As crenças a respeito de quem vai para o céu ou para o inferno podem ser resumidas em pelo menos três grandes possibilidades. Alguns acreditam que todo mundo vai para o céu. Outros, baseados nas palavras de Jesus: "entrem pela porta estreita, pois larga é a porta e amplo o caminho que leva à perdição, e são muitos os que entram por ela. Como é estreita a porta, e apertado o caminho que leva à vida! São poucos os que a encontram" (Mt 7.13-14), preferem acreditar que apenas algumas pessoas vão para o céu e a maioria das pessoas vai mesmo para o inferno.

A velha discussão entre os teólogos cristãos ainda assombra algumas consciências como parte essencial do evangelho de Jesus: Deus escolheu quem vai para o céu e quem vai para o inferno? Ou é mesmo verdade que toda a humanidade está condenada ao inferno, e o ato de Deus consiste apenas em escolher, tirar algumas pessoas de lá? Ou será que ir para o céu ou inferno é uma escolha humana, isto é, quem quiser ir para o céu deve aceitar o convite de Jesus para segui-lo em absoluta obediência?

Também devemos lembrar que há um sem-número de pessoas que não acreditam nem em céu, nem em inferno, e não têm o menor interesse nessa discussão, que consideram ultrapassada e medieval. Essas pessoas não fazem a menor questão de pensar no céu ou no inferno. Elas querem viver. Estão perguntando se Deus faz sentido para esta vida, aqui e agora, e não estão preocupadas com a vida após a morte. Acreditam que, se Deus fizer sentido nesta vida, fará também na outra. O oposto é verdadeiro. Um Deus que não faz sentido aqui, também não fará sentido ali ou além.

Acredito que, quando nos dedicamos a discutir quem vai para o inferno e quem vai para o céu, perdemos tempo num debate que não nos diz respeito. Existindo mesmo isso a que damos o nome de céu, e eu creio que existe, decidir quem vai ou não vai para lá é uma prerrogativa de Deus. No céu estarão todos aqueles que Deus desejar que estejam. E o critério para quem vai ou não é definido pelo próprio Deus.

Todas as explicações teóricas que encontramos a respeito do céu e do inferno são apenas isso: teorias. A maneira como o inferno se concilia com o amor e a justiça de Deus é algo que, pelo menos na minha experiência pessoal, está além do entendimento humano.

Acreditar que Deus é justo e cheio de compaixão ao mesmo tempo é acreditar num paradoxo. Embora eu tenha estudado a Bíblia boa parte da minha vida, e não passe um dia sequer sem estudar um pouco mais as Sagradas Escrituras, a única certeza que tenho é que está escrito que "o Cristo haveria de sofrer e ressuscitar dos mortos no terceiro dia, e que em seu nome seria pregado o arrependimento para perdão de pecados a todas as nações" (Lc 24.46-47).

Creio de todo o coração que, qualquer que seja a possibilidade de vida para o ser humano, essa vida se sustenta na morte e ressurreição de Jesus Cristo. Apesar de ter comigo algumas explicações de como isso funciona, minha fé não é aquilo em que acredito, pois não repouso minha vida em teorias, mas na pessoa de Jesus Cristo.

Minhas teorias a respeito de céu, inferno e vida após a morte atendem à minha lógica e aos limites da minha própria consciência. Mas sei que são apenas teorias. Mas uma coisa eu sei, é que na relação entre Deus, o universo criado e a raça humana, a cruz de Cristo, isto é, sua morte e também, e principalmente, sua ressurreição são fundamentais, essenciais e imprescindíveis.

Alguma coisa extraordinária aconteceu quando Jesus de Nazaré foi crucificado e ressuscitou ao terceiro dia. Essa coisa extraordinária que aconteceu afetou profundamente a maneira como Deus se relaciona com a sua criação e com o ser humano. A maneira como Deus se relaciona com tudo e todos a partir da morte e ressurreição de Jesus Cristo atende na Bíblia pelo nome de graça: a disposição de Deus em perdoar o pecado e os pecados.

O advento da morte de Jesus na cruz seguida de sua ressurreição ao terceiro dia oportuniza o perdão de Deus para todos os seres humanos. É por causa da morte de Jesus na cruz e da sua ressurreição no terceiro dia que Deus age com bondade e não com juízo. Age com oferta do perdão, age movido por compaixão e misericórdia, e não com ameaça de condenação e castigo eterno.

É por causa da morte e ressurreição de Jesus ao terceiro dia que podemos crer e afirmar que Deus é amor. A cruz de Cristo e seu túmulo vazio são capazes de buscar qualquer ser humano em sua maior perdição, são eficazes para redimir qualquer ser humano de qualquer pecado, são suficientes para sustentar o perdão de Deus para toda a humanidade.

É por causa da morte de Jesus na cruz do Calvário e sua ressurreição ao terceiro dia que Deus nos estende a mão oferecendo a todos e cada um de nós a oportunidade de recomeçar, de escrever uma nova história, concedendo a todos a possibilidade de viver sem culpa e sem medo.

Também acredito que nem todas as pessoas desfrutam dessa oportunidade. A oportunidade de refazer a vida em reconciliação com Deus. A oportunidade de viver no amor de Deus. Viver descansando na bondade e generosidade de Deus. Viver desfrutando da graça e da misericórdia de Deus.

Não são todas as pessoas que acreditam na possibilidade de uma nova vida. Não são todas as pessoas que desfrutam do perdão. Há muitas pessoas ainda escravizadas ao seu passado, à consciência culpada, a seus pecados, vícios e hábitos danosos e deletérios. Escravizadas aos espíritos maus, aos relacionamentos de abuso e desamor. Escravizadas às crenças limitadoras, ao medo de Deus, ao senso de não merecimento do amor de Deus. Muita gente ainda vive castigando-se, impondo-se um castigo interminável, quando nem mesmo Deus está pensando castigá-las.

A experiência do perdão de Deus está condicionada ao arrependimento. Apenas pessoas arrependidas desfrutam da libertação da culpa e do medo da condenação, da maldição e do castigo eterno.

As pessoas que penetram o mistério da cruz de Jesus e de seu túmulo vazio ganham uma nova consciência de si e uma nova consciência de Deus.

Arrependimento é passar a ver Deus com outros olhos. Os olhos de Jesus. Arrependimento é passar a ver a si mesmo com outros olhos. Os olhos do Pai de Jesus.

O mistério da cruz de Jesus revela que Deus realmente nos ama: "Deus demonstra seu amor por nós: Cristo morreu em nosso favor quando ainda éramos pecadores" (Rm 5.8). O mistério do túmulo de Jesus vazio, no domingo da ressurreição, revela que há um poder de vida derramado sobre todo o universo.

O arrependimento nos abre os olhos para o discernimento de que Deus nos olha com amor, bondade, misericórdia e compaixão, querendo nos fazer o bem, e querendo nos dar uma vida feliz e de liberdade a partir do seu perdão. Aqueles que olham para Deus com esses olhos têm uma vida diferente. Uma vida transformada. Uma vida liberta. Uma vida nova. Nova porque liberta dos espíritos maus. Nova porque liberta da culpa. Nova porque liberta do medo de Deus. Nova porque liberta do medo da morte — Jesus morreu e venceu a morte.

Eu não sei quem vai para o céu e quem vai para o inferno. Mas, uma coisa eu sei. E tudo o que posso dizer a você é: "Arrependa-se, invoque a Deus em nome de Jesus. Peça a Deus o perdão para o seu pecado. Descanse no perdão de Deus. Desfrute a vida absolutamente nova que Jesus lhe prometeu, a vida que Jesus chamou de vida eterna".

Eu não sei a respeito do futuro pós-morte. O que eu sei a respeito do presente é que tudo o que podemos dizer é que Jesus Cristo morreu, ressuscitou ao terceiro dia e em seu nome deve ser pregado o arrependimento para o perdão dos pecados. Disso não tenho a menor dúvida.

Discípulos

> *Foi-me dada toda a autoridade nos céus e na terra. Portanto, vão e façam discípulos de todas as nações, batizando-os em nome do Pai e do Filho e do Espírito Santo, ensinando-os a obedecer a tudo o que eu lhes ordenei. E eu estarei sempre com vocês, até o fim dos tempos.*
> Mateus 28.18-20

Os quatro evangelhos do Novo Testamento registram não apenas os fatos históricos a respeito de Jesus de Nazaré, desde seu nascimento, passando pelo batismo, a tentação no deserto e seu célebre Sermão do Monte. Mas também registram as obras de Jesus, como seus milagres e feitos maravilhosos. Além disso, os evangelhos são também o registro mais completo e fiel dos ensinamentos de Jesus: aforismos, ensinamentos, controvérsias e debates com os líderes religiosos do judaísmo da época. Finalmente, relatam com singela e simples dramaticidade os fatos centrais de toda a história humana conforme conhecida no mundo ocidental: a semana da paixão, o julgamento, a morte e a ressurreição de Jesus.

Os evangelhos revelam duas coisas essenciais: a identidade de Jesus, o significado de sua vida e obra, e as implicações da pessoa e obra de Jesus na vida de todos nós. A identidade de Jesus vai sendo revelada aos poucos. Primeiro, ele é o profeta anunciado por Moisés, o Rei semelhante a Davi, o Messias de Israel. Em termos mais abrangentes e completos, Jesus é revelado como Deus encarnado, Filho de Deus e homem perfeito. Aqueles que recebem essa revelação e confiam sua vida à autoridade suprema de Jesus não apenas como seu mestre espiritual, mas como Deus digno de receber adoração, se tornam seus talmidim.

Como já escrevi anteriormente, talmidim é a palavra hebraica traduzida por discípulos. Talmidim é o plural de talmid. Talmidim, discípulos; talmid, discípulo. A relação mestre-discípulo está presente em muitas tradições espirituais e filosóficas. Também entre os judeus da época de Jesus existiam os mestres, chamados *rabbi*, rebe ou rabino, e seus discípulos.

Desde cedo os meninos talmidim ouviam a recomendação para que se deixassem "cobrir pela poeira dos pés do seu rabino". Era comum na Palestina ver meninos que ao final do dia estavam sujos pela poeira que os pés do seu *rabbi* deixavam para trás, enquanto caminhavam. A proximidade no ato de seguir um *rabbi* ilustrava a maior ambição de um discípulo. O maior desejo de um talmid não é apenas saber o que o *rabbi* sabe, ou ser capaz de fazer o que ele faz, mas principalmente se tornar uma pessoa igual a ele.

A relação entre os meninos talmidim e seus rabinos ilustra o que de fato significa ser um discípulo de Jesus Cristo?

Seguir a Jesus é mais do que mudar de comportamento, mudar de crenças e até mesmo mudar de religião. É verdade que o encontro com Jesus resulta em mudanças de valores, crenças e comportamentos das pessoas. Algumas passam por uma transformação tão grande que parece mesmo que são outras pessoas após a conversão a Jesus Cristo. Mas seguir Jesus implica antes e acima de tudo uma experiência mística, espiritual, transcendente.

O apóstolo Paulo descreve essa experiência como receber o Espírito de Deus, pois quem "não tem o Espírito de Cristo não pertence a Cristo" (Rm 8.9). A partir dessa experiência, "o Espírito de Deus testifica com o nosso espírito que somos filhos de Deus" (Rm 8.16). O ato de seguir Jesus começa no momento em que o Espírito de Deus e o espírito humano se unem. O Cristo ressurreto que escapa aos sentidos físicos: ninguém vê, ninguém ouve, ninguém apreende pelo tato, ninguém sente o cheiro nem o sabor, passa a ser uma pessoa com quem de fato nos relacionamos. O Cristo vivo e ressurreto deixa de ser uma ideia, deixa de ser uma abstração e se torna uma realidade tão concreta como qualquer outra pessoa com quem cultivamos a intimidade.

A Bíblia Sagrada ensina que o homem e a mulher que se unem na relação do sexo se tornam uma só carne. Guardadas todas as proporções, essa experiência humana de ser uma só carne é o símbolo mais natural da experiência mística espiritual com Jesus Cristo. Implica nos tornarmos uma só pessoa com Jesus, unirmos nosso espírito ao Espírito dele. É ter o Espírito de Jesus unido ao nosso espírito. A expressão característica, que ocorre pelo menos 76 vezes no Novo Testamento, para descrever essa relação é "em Cristo".

A Bíblia Sagrada chama o Espírito Santo de Espírito de Cristo (Rm 8.9). A relação mística com o Espírito de Cristo nos afeta integralmente, em especial nas dimensões da razão, emoção e volição. Nossos pensamentos, sentimentos e o centro de nossa vontade ficam sob a influência do Espírito de Deus.

Os talmidim de Jesus, que estão "em Cristo" e são afetados pelo seu Espírito, têm percepções, discernimentos, compreensões, *insights*, impulsos e disposições de vontade, emoções e afeições que não teriam caso não estivessem sob a influência do Espírito Santo. A ação do Espírito de Cristo afeta os talmidim de Jesus na profundidade do ser que o apóstolo Paulo chamou de "homem interior" (2Co 4.16; Ef 3.16).

Somente nessa unidade mística com Cristo e seu Espírito podemos experimentar a qualidade da vida divina, a vida eterna, desde aqui e agora. Essa qualidade de vida é chamada de fruto do Espírito. É por causa dessa experiência com o Espírito Santo que os talmidim podem andar nos passos de Jesus, e podem viver de acordo com todas as coisas que ele ensinou e ordenou.

> Por isso digo: Vivam pelo Espírito, e de modo nenhum satisfarão os desejos da carne. Pois a carne deseja o que é contrário ao Espírito; e o Espírito, o que é

contrário à carne. Eles estão em conflito um com o outro, de modo que vocês não fazem o que desejam. [...] Ora, as obras da carne são manifestas: imoralidade sexual, impureza e libertinagem; idolatria e feitiçaria; ódio, discórdia, ciúmes, ira, egoísmo, dissensões, facções e inveja; embriaguez, orgias e coisas semelhantes. [...] Mas o fruto do Espírito é amor, alegria, paz, paciência, amabilidade, bondade, fidelidade, mansidão e domínio próprio.

Gálatas 16-17,19-20,22-23

Você sabe que precisa perdoar. A questão é se você perdoa. Você sabe que deve sentir compaixão. A questão é se você é realmente capaz de se compadecer. Você sabe o que deve ser, fazer e como deve viver. A questão é se você é capaz de tudo isso.

A Bíblia diz que só nos tornamos capazes de fazer o que Jesus fazia se formos pessoas semelhantes a ele. O discipulado de Jesus não é mera reprodução de comportamentos, é multiplicação de identidade, a identidade de Cristo em nós. Seguir a Jesus é algo que a gente faz porque o Espírito Santo de Deus está unido ao nosso espírito. Se o Espírito Santo de Deus não está unido ao nosso espírito, não conseguimos seguir os passos de Jesus.

É possível ser religioso sem ser talmidim de Jesus. O oposto é verdadeiro, é possível ser talmidim de Jesus sem ser religioso. Há religioso orgulhoso, vaidoso, rancoroso e vingativo. Há muita gente religiosa sem um mínimo de sensibilidade solidária, sem compaixão e generosidade, sem senso de justiça e incapaz de sair de dentro de si para se devotar abnegadamente a servir alguém além de si mesma.

Jesus disse que os seus seguidores seriam conhecidos pelos frutos que produzissem. É tão natural para uma mangueira produzir manga quanto é natural para uma pessoa generosa e solidária repartir o pão. Os talmidim não fazem o que fazem porque obedecem a um manual de regras e comportamentos, ou porque estão sujeitos a uma lei e temem suas penalidades. Vivem e agem como Cristo porque buscam ser como Cristo.

Quando alguém perguntar para você o que que dizer a palavra "talmidim", responda que é uma palavra hebraica, no plural, traduzida por discípulos; talmid, no singular. Então, se a pessoa perguntar o que significa ser um discípulo de Jesus, diga que discípulo de Jesus é aquele que se relaciona com ele com tamanha intimidade, que aos poucos vai se tornando igual a ele.

O convite de Jesus para você e para mim é muito simples: "Venham comigo, fiquem perto de mim, andem comigo e, aos poucos, de tanto andar comigo, vocês vão se tornar pessoas iguais a mim".

NOTAS

[1] OCJM, Paris DDB, vol. II, p. 595, 1991.

[2] *Cristianismo puro e simples*. São Paulo: Martins Fontes, 2005, p. 22.

[3] http://joaquimjeremiasnt.blogspot.com.br/2010/11/biografia-joaquim-jeremias.html.

[4] "De joelhos". Folha de S.Paulo, 11 de maio de 2009.

[5] Sermão do Mandato, 1643.

[6] *Alegria de crer, alegria de viver.*

[7] *A liberdade de um cristão.*

[8] *Deus em nós.*

[9] *Adversus Haereses*, IV, 20, 7.

[10] *O grande abismo.*

[11] The Struggle with God, Paulist Press, 1966, p. 79.

[12] *Religião e luta de classes*: Quadro teórico para a análise de suas inter-relações na América Latina. Petrópolis: Vozes, 1983.

[13] http://livreparacrer.blogspot.com.br/2012/10/convite-liberdade.html. *Convite à liberdade*, letra e música de Sérgio Matos, 1974.

[14] *Mosaicos do presente*. São Paulo: Paulinas, 1995, p. 64.

Índice

Capítulo	Referência Bíblica	Página
Talmidim	Lucas 2.46-47	7
Filho	João 1.1-3, RC	10
Messias	Lucas 2.11	13
Sim	Mateus 3.13-16	16
Tentação	Mateus 4.1-11	20
Galileia	Marcos 1.14-15	24
(Re)Nascer	João 3.1-8	27
Ashrei	Mateus 5.1-10	31
Torá	Mateus 5.17-20	36
Jugo	Mateus 11.28-30	39
Sermão	Mateus 5.20	43
Casas	Mateus 7.24-27	46
Oração	Mateus 6.9-13	49
$$$	Mateus 6.19-24	54
Reino	Mateus 4.23	58
Milagres	João 20.30-31	62
Leproso	Lucas 5.12-16	65
Cego	João 9.1	68
Lázaro	João 11.25-26	71
Pão	João 6.14	74
Moscas	Mateus 12.22-23	77
Shabat	Mateus 12.10-12	80
Quiz	Mateus 22.46	83
Adorar	Mateus 15.21-28	87
Universal	João 4.23-24	90

Capítulo	Referência Bíblica	Página
Samaritano	Lucas 10.25-37	93
Graça	Lucas 15.11-32	97
Pecado	Lucas 15.11-20	101
Eu Sou	João 8.23-24	105
Igreja	Mateus 16.13-18	109
Escolha	João 11.50	112
Monte	Mateus 21.18-22	115
Amante	João 13.1	118
Surpresa	João 13.12-15	121
Amor	João 13.34-35	125
Casa	João 14.1-3	128
Paracleto	João 16.7	131
Pericorese	João 17.20-21	135
Aliança	Mateus 26.26-29	138
Getsêmani	Mateus 26.36-46	143
Cordeiro	João 1.29	146
Paradoxo	Atos 2.22-24	150
Vida	Lucas 24.5	153
Neles	Lucas 24.30-32	157
Lázaro	João 12.9	160
Superação	Lucas 24.45-48	162
Superação 2	João 15.5	167
Decisão	Mateus 16.24	170
Céu	João 3.16, RC	172
Discípulos	Mateus 28.18-20	176
Indubitável	Lucas 24.46-47	182
Discípulos	Mateus 28.18-20	186

Compartilhe suas impressões de leitura escrevendo para:
opiniao-do-leitor@mundocristao.com.br
Acesse nosso *site*: www.mundocristao.com.br

Equipe MC:	Fernanda Rosa
	Heda Lopes
	Natália Custódio
Diagramação:	Triall Editorial
Gráfica:	Imprensa da Fé
Fonte:	Warnock Pro
Papel:	Chambril Avena 70 g/m² (miolo)
	Cartão 250 g/m² (capa)